D0581774

CUIDE BEM DE SUA SAUDE

Depressão

Métodos práticos para recuperar a saúde aplicando a medicina complementar

PROF. EDZARD ERNST
MD, PH.D., FRCP (EDIN)

Publicado originalmente em 1998, na série *Help Yourself to Health: Back Pain/Depression/Sleep/Stress&Anxiety*,
pela Godsfield Press,
Brunel House, Newton Abbot,
Devon, TQ12 4PU RU

Tradução: Henrique Amat Rêgo Monteiro

Dados Internacionais de Catalogação na Publicação (CIP)
(Câmara Brasileira do Livro, SP, Brasil)

Ernst, Edzard
Depressão / Edzard Ernst ; [tradução Henrique Amat Rêgo00 Monteiro]. -
- São Paulo : Vitória Régia, 2000. -- (Cuide de sua saúde)

Título original: Depression.

1. Depressão mental I. Título. II. Série.

00-0962 CDD - 616.8527
NLM-WM 460

Índices para catálogo sistemático:
1. Depressão : Diagnóstico e tratamento : Medicina 616.8527
2. Depressões mentais : Medicina 616.8527

ISNBN 85-87500-03-1

Impresso em Hong Kong

Tel. (011) 3842.2066
Fax (011) 3849.5882
e-mail: callis@callis.com.br

SUMÁRIO

INTRODUÇÃO

DEPRESSÃO É ALGO COMUM. *Ela se manifesta de várias formas que nos confundem. Há formas brandas de depressão, que podem passar despercebidas, e há as formas graves e debilitantes. Às vezes, a depressão dura um breve período, outras ela vem e vai e outras ainda é um problema quase constante e prolongado.*

ACIMA *Em alguns dias, o mundo parece escuro, úmido e sombrio.*

A depressão afeta milhões de pessoas em todo o mundo. Ela resulta em muita angústia, sofrimento e prejuízos financeiros. Estimativas indicam que no mínimo um terço das pessoas vai sofrer de depressão em algum momento da vida. A despeito de sua incidência, há ainda muita ignorância e incompreensão quanto à doença. Seu diagnóstico costuma ser esquecido pelos profissionais de saúde sempre tão ocupados. O estigma ligado à depressão por parte do público geralmente desencoraja o reconhecimento e o tratamento.

ACIMA *O dia ensolarado e radiante é um estímulo à recuperação.*

Este livro foi escrito para as pessoas afetadas pela depressão, tanto as que sofrem com a doença quanto as que estão próximas de uma de suas vítimas. Ele orientará você pelo labirinto de questões complicadas, dados inacessíveis e terminologia difícil. Evitaremos usar o jargão científico e o excesso de simplificação das informações. Antes de tudo, este livro irá oferecer auxílio prático e conselhos realistas. A depressão pode ser verdadeiramente uma doença devastadora – se pudermos tornar sua carga um pouco mais leve, teremos atingido nossa meta.

O tratamento convencional eficaz existe: a terapia com medicamentos e pelo método cognitivo do comportamento. Mas o que as terapias complementares têm para oferecer? É importante entender as opções, suas possibilidades e limitações. Este livro lhe dará uma orientação clara, baseada nas melhores evidências de pesquisas disponíveis.

À ESQUERDA *Todos temos um lado sombrio da personalidade que às vezes nos domina.*

O QUE É DEPRESSÃO?

A depressão não é um problema novo – faz parte da condição humana desde tempos imemoriais. Os mais diversos nomes têm sido usados para identificá-la: melancolia, hipocondria, languidez, reclusão ou decadência.

HISTÓRIA

Em 1600 a.C., os antigos egípcios usavam remédios feitos de plantas para combater a melancolia. Também receitavam a dança, ouvir música e dormir nos templos! Tempos depois, a medicina grega e romana empregava extratos medicinais de papoula e mandrágora, alimentos como mingau de cevada e leite de asno, assim como ginástica, massagem e banhos.

Os médicos árabes que atendiam nos séculos 9 e 10 recorriam tanto ao entretenimento quanto ao álcool, cafeína, ópio e maconha. Na Europa medieval, o tratamento de distúrbios mentais era menos humano e carregado de superstição, com segregação e confinamento comum. Foi apenas na segunda metade do século 20 que novas drogas eficazes e terapias "orais" se desenvolveram. Hoje, há um interesse crescente de encarar outras técnicas como a fitoterapia, os exercícios e a massagem. Ironicamente, talvez estejamos retornando aos métodos dos gregos antigos.

À ESQUERDA *Há centenas de anos, as pessoas já tinham remédios contra a depressão.*

PACIENTES FAMOSOS

A depressão afeta pessoas de todas as camadas. Figuras preeminentes como a rainha Vitória, Abraham Lincoln e Winston Churchill foram suas vítimas. Churchill chegou a inventar o termo "black dog" (cachorro preto) para identificar seus períodos de depressão. Muitas pessoas do ramo das artes e da literatura têm sofrido desse mal: o compositor Robert Schumann, o pintor Vincent Van Gogh, o poeta Samuel Taylor Coleridge e escritores como Ernest Hemingway e Virginia Woolf. Marilyn Monroe foi outra vítima famosa e o comediante britânico Spike Milligan descreveu corajosamente seus achaques num livro.

À ESQUERDA *A rainha Vitória governou a Grã-Bretanha de 1837 a 1901.*

À DIREITA *Os quadros de Van Gogh refletiam suas emoções intensas.*

ABAIXO *Winston Churchill (1874-1965) foi o primeiro-ministro britânico durante a Segunda Guerra Mundial.*

À DIREITA *A face pública de Marilyn Monroe escondia problemas particulares.*

A DEPRESSÃO É UM PROBLEMA MUITO COMUM

Muitas pessoas são afetadas pela depressão. Os índices estimados da escala do problema variam dependendo de como se define depressão e do grau em que são examinados os sintomas da doença na população. A taxa de identificação da depressão por parte dos clínicos gerais é fraca. E alguns pacientes não buscam ajuda, talvez por ter medo do estigma que ainda ronda as doenças mentais.

ESTATÍSTICAS

A depressão tem sido chamada de "o resfriado comum da psiquiatria" por causa de sua freqüência. Estima-se que em algum momento, ao menos 5 por cento da população esteja sofrendo de depressão. As pesquisas sobre depressão indicam que no mínimo um terço da população provavelmente sofre um episódio de depressão durante a vida. A escala de acometimentos individuais e dos custos para a sociedade em termos de tempo passado fora do trabalho e das despesas com o tratamento é, portanto, considerável.

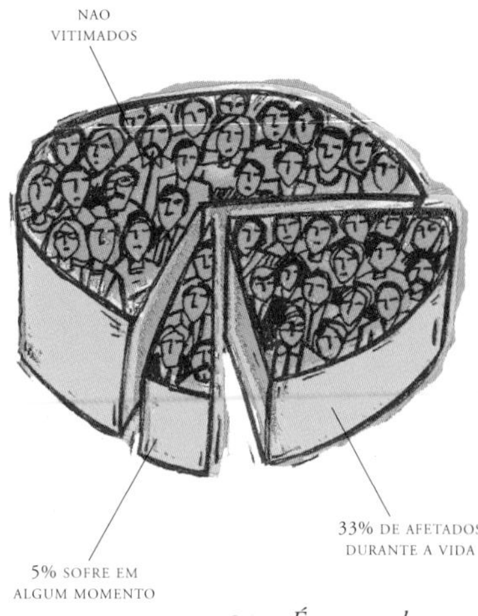

ACIMA *É surpreendente como as pessoas sofrem de depressão.*

A EXPERIÊNCIA DA DEPRESSÃO

A depressão é uma experiência assustadora que faz com que as pessoas se sintam isoladas e sem esperança. Cada pessoa sofre um tipo de manifestação peculiar e pode achar difícil expressar-se aos outros, que dirá ser capaz de explicar esses sentimentos. Embora possa ser quase impossível acreditar quando se está sob o efeito da depressão, a grande maioria das pessoas tem constantes recaídas.

COMO SE RECONHECE A DEPRESSÃO?

Para diagnosticar a depressão, os médicos desenvolveram um método de entrevista e exame dos pacientes para detectar uma infinidade de traços característicos da doença.

Às vezes os médicos pedem ao paciente para preencher um questionário. As respostas fornecidas podem ser convertidas a uma escala de avaliação, para avaliar a presença e o grau da depressão.

É importante que os médicos considerem a possibilidade da depressão. Ao procurar um médico, as pessoas geralmente não dizem que acham que estão deprimidas; elas apresentamum problema insignificante, que pode despertar o médico para o problema.

DISCURSOS DEPRESSIVOS

"Olhei para as pessoas no ônibus. Não entendia como os idosos conseguiram viver tanto, sendo a vida terrível como é. Cada dia é um sacrifício."

✧

"Perdi o interesse pela família e por meus hobbies, não queria fazer nada, só ficar longe de todos, e não parava de chorar."

✧

"Parecia que eu estava aprisionado e incapaz de mudar aquele sentimento de melancolia e tristeza. Fiquei ansioso e com medo do futuro e perdi a esperança de melhorar, não querendo continuar."

À DIREITA *Os médicos devem fazer perguntas específicas para diagnosticar a depressão.*

COMO SABER QUANDO ALGUÉM ESTÁ DEPRIMIDO?

Quando alguém está deprimido sua característica principal é um persistente baixo astral, ou uma perda geral de interesse e alegria por coisas que antes atraíam e agradavam. Também podem ocorrer diversos outros sintomas. Por exemplo, a pessoa pode sentir dificuldade para se concentrar, geralmente seguida de sensações contínuas de cansaço e uma falta geral de energia, quando até as menores tarefas requerem um esforço enorme.

Os hábitos de sono podem ser perturbados: seja acordando muito cedo pela manhã e não conseguindo voltar a dormir, seja dormindo muito mais do que o habitual. Pode ocorrer a perda de apetite e a falta de prazer com o alimento. A pessoa pode sentir-se muito pessimista quanto ao futuro. A autoconfiança em geral diminui, o que dificulta a execução das tarefas cotidianas mais corriqueiras. Algumas pessoas desenvolvem um profundo sentimento de culpa, penitenciando-se por suas dificuldades, por fatos passados e por sua incapacidade de cuidar da família. Em casos graves, elas podem querer dar cabo da vida. Cada caso é um caso. Mesmo os sintomas típicos podem não se apresentar em alguns casos (chamados depressão mascarada), o que dificulta ainda mais o diagnóstico da depressão.

DEFINIÇÃO MÉDICA DA DEPRESSÃO

Para diagnosticar a grande depressão, o médico procura alguns sintomas persistentes nas últimas duas semanas (veja o quadro), como sono inadequado. Para isso ele observa e conversa com o paciente. Às vezes, é preciso obter informações de amigos e parentes, que podem ter notado mudanças que a pessoa deprimida não notou.

À ESQUERDA
Indiferença e falta de interesse pela vida são sintomas típicos.

É comum as pessoas que não são clinicamente diagnosticadas apresentarem alguns desses sintomas, que normalmente não persistem por muito tempo. Assim como períodos de tristeza, todos eles fazem parte da experiência humana e não significam depressão.

DIAGNOSTICANDO A GRANDE DEPRESSÃO

Por no mínimo duas semanas deve ocorrer:

- ☐ Humor deprimido e/ou perda de interesse e satisfação.

Mais outros sintomas desta lista, somando um total de pelo menos cinco:

- ☐ Perturbação do sono ou excesso de sono.
- ☐ Mudança de apetite, perda ou ganho de peso.
- ☐ Calmaria ou agitação mental e física.
- ☐ Má concentração ou indecisão.
- ☐ Cansaço, perda de energia.
- ☐ Sensação de inutilidade ou culpa excessiva.
- ☐ Pensamentos recorrentes de morte ou suicídio.

TIPOS E MECANISMOS DE DEPRESSÃO

Hoje os psiquiatras descrevem e classificam a depressão de acordo com sua gravidade. Algumas das antigas classificações, como depressão "endógena" ou "reativa", estão ultrapassadas (mas são explicadas a seguir, caso seja o seu caso). A depressão é dividida em três categorias: branda, moderada e grave.

Essas categorias baseiam-se no número de sintomas presentes, sua gravidade e a que grau o paciente em questão é afetado por eles na vida cotidiana. A depressão branda caracteriza-se pela presença de apenas cinco ou seis dos sintomas relacionados no quadro da página 13. Ela tem pouco impacto sobre a capacidade de a pessoa atuar normalmente. Na depressão grave, ao contrário, a maioria dos sintomas relacionados estará presente com maior intensidade e terão impacto evidente. Isso pode se revelar numa incapacidade de trabalhar ou cuidar dos filhos e na redução das atividades sociais e a manutenção de relacionamentos com os outros.

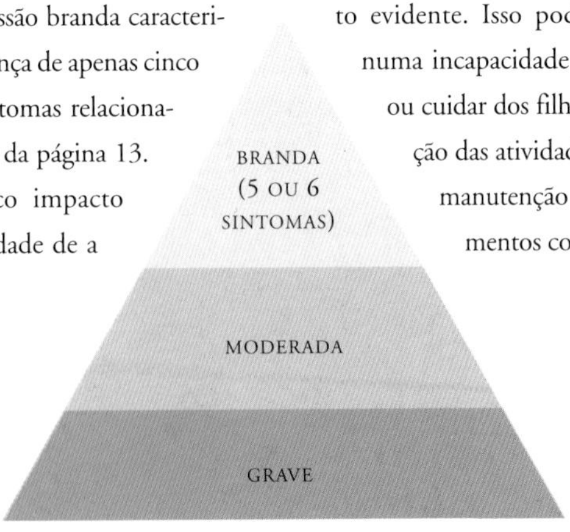

BRANDA (5 OU 6 SINTOMAS)

MODERADA

GRAVE

À DIREITA *A depressão é classificada em três tipos.*

DEPRESSÃO ENDÓGENA
Não tem causa evidente. Proporção elevada de sintomas vegetativos.

DEPRESSÃO REATIVA
Provocada por um evento estressante. Predominam sintomas psicológicos.

DEPRESSÃO ENDÓGENA E REATIVA

No passado, a depressão era classificada como "endógena" ou "reativa". Nos casos de depressão endógena, não se notavam fatores precipitantes óbvios – o nome em si significa "vinda de dentro". Essa depressão era considerada a mais grave, em que o paciente sofria em maior proporção dos chamados sintomas "somáticos" ou "vegetativos".

Quanto à depressão reativa, considerava-se causada por uma versão extrema da reação normal ao estresse, especialmente relacionada a eventos estressantes como a perda do emprego, ou sentimentos de perda causado pelo fracasso de um relacionamento, divórcio ou morte de um ente querido. Acreditava-se que fosse em geral mais branda que a endógena, com predominância de sintomas psicológicos.

Essa divisão é artificial. Muitos indivíduos mostram traços comuns aos dois grupos.

MANIA E DEPRESSÃO BIPOLAR

Uma pequena proporção de pessoas com depressão também experimenta mania. Quando isso acontece, o problema é então conhecido como distúrbio bipolar. Esse nome é usado porque ocorrem dois extremos ou dois pólos na escala do humor: bom humor excessivo (mania) e mau humor excessivo (depressão). Conseqüentemente, a depressão sozinha é às vezes denominada distúrbio unipolar. Quando o humor é anormal e persistentemente elevado, usa-se o termo "mania". Em alguns casos, a pessoa fica irritável em vez de eufórica.

ABAIXO *O "ponto alto" extremo da mania causa perda da percepção normal.*

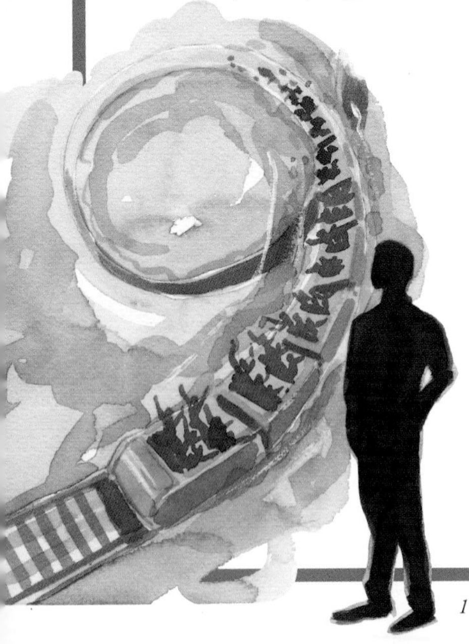

Durante uma fase maníaca, as pessoas podem se achar capazes de qualquer coisa e embarcar em aventuras arriscadas, relacionamentos sexuais e farras dispendiosas. Podem acreditar que têm um relacionamento especial com uma figura pública ou que tenham produzido invenções revolucionárias. Em geral, sua fala é rápida, não permitindo interrupções e pulando rapidamente de um assunto a outro. A necessidade de sono pode diminuir, a libido e o apetite aumentam e pode ocorrer algum tipo de comportamento social inadequado. A pessoa em questão geralmente não percebe que há um problema.

A mania tende a se manifestar rapidamente, em especial depois de eventos estressantes. Caso não seja tratada, pode durar semanas ou meses, mas geralmente dura menos que os episódios de depressão e provavelmente termina de forma mais abrupta. Para o controle e a prevenção da mania, há diversos tratamentos ortodoxos à base de drogas.

DEPRESSÃO PÓS-PARTO

Esta expressão caracteriza a depressão da mãe nas semanas ou meses subseqüentes ao nascimento de um filho. Cerca de metade das mães recentes passam por uma redução branda do humor, conhecida como "melancolia do bebê". Uma certa depressão manifesta-se em cerca de 5 a 20 por centro de todas as mães recentes. Ela é grave numa pequena minoria dos casos (cerca de 1 em 500), que requerem cuidados profissionais. A mãe pode ter sentimentos depressivos de culpa, impotência e desânimo relacionados a seu novo papel.

As causas da depressão pós-parto são complexas e envolvem diversos fatores. Durante a gravidez há um enorme aumento de hormônios sexuais, como estrógeno e progesterona. Quando o bebê nasce, os níveis hormonais caem abruptamente. Essa pode ser uma causa. Mas não há nenhuma certeza de que as mudanças hormonais sozinhas possam causar a depressão, pois nem todas as mulheres ficam deprimidas e as evidências são circunstanciais. Depois do nascimento, surgem novas responsabilidades e exigências, e inúmeros fatores sociais e psicológicos se manifestam. Por exemplo, pode haver dificuldade de dinheiro ou relacionamento, uma suposta falta de apoio emocional ou material.

POSSÍVEIS CAUSAS DA DEPRESSÃO PÓS-PARTO

- ***Mudanças hormonais***
- ***Falta de sono***
- ***Novas e inescapáveis responsabilidades***
- ***Mudança de financeiramente independente para dependente***
- ***Mudança no relacionamento com o parceiro***
- ***Falta de apoio***

À ESQUERDA *Até 20 por cento de mães recentes têm depressão.*

DISTÚRBIO AFETIVO SAZONAL

O distúrbio afetivo sazonal (ou DAS) é um estado em que ocorre o humor deprimido num ciclo regular numa época particular do ano, geralmente o inverno, com uma melhora do humor na primavera e verão. O DAS tende a se caracterizar por aumento do sono, alimentação excessiva, letargia e desespero.

Geralmente, acredita-se que a queda do humor resulta de mudanças bioquímicas produzidas pela redução dos níveis de luz no inverno. Uma teoria é que a diminuição da luz faz com que uma glândula na base do cérebro, chamada glândula pineal, produza mais melatonina. A produção de melatonina ocorre durante as horas de escuridão e ajuda as pessoas a ficarem sonolentas. Nos animais, a melatonina tem a função de reduzir a atividade e aumentar o sono durante o inverno. Quando atinge o olho, a luz tem o efeito de deter a produção de melatonina. Por conseqüência, considera-se que a luz ajude as pessoas que sofrem de DAS, havendo para seu tratamento diversos aparelhos e dispositivos luminosos a serem utilizados durante as horas de escuridão.

MELATONINA

À ESQUERDA *Os níveis de melatonina diminuem com a falta de luz.*

O QUE CAUSA DEPRESSÃO?

A depressão está relacionada a um conjunto complexo de fatores biológicos, sociais e psicológicos. Algumas características pessoais podem tornar uma pessoa mais suscetível de desenvolver o problema e determinados fatores estressantes provenientes do exterior podem provocar o início da doença.

Investigações científicas indicam que ocorrem mudanças na composição química do cérebro durante a depressão, mas não está claro como ou por que começam. Esse conhecimento tem estimulado a descoberta de novas drogas, que ajudam a restabelecer o equilíbrio da química cerebral.

DOENÇAS FÍSICAS CAUSAM DEPRESSÃO?

As doenças que afetam o cérebro diretamente podem causar depressão. Entre os exemplos incluem-se as pessoas que tiveram apoplexia, doença de Parkinson, esclerose múltipla ou uma lesão na cabeça. Algumas doenças infecciosas, como a gripe, febre glandular ou hepatite virótica, são sempre seguidas de depressão. Doenças glandulares incomuns, como a deficiência da tireóide ou produção insuficiente de cortisol, podem resultar em depressão. Até mesmo algumas drogas prescritas podem causar depressão entre seus efeitos colaterais indesejados. Um exemplo disso é a pílula anticoncepcional, que em raros casos causa depressão. A depressão também pode ser uma característica do uso de drogas ilícitas como a cocaína e as anfetaminas, ou o excesso crônico do consumo de álcool.

ABAIXO *A personalidade é moldada por diversos fatores.*

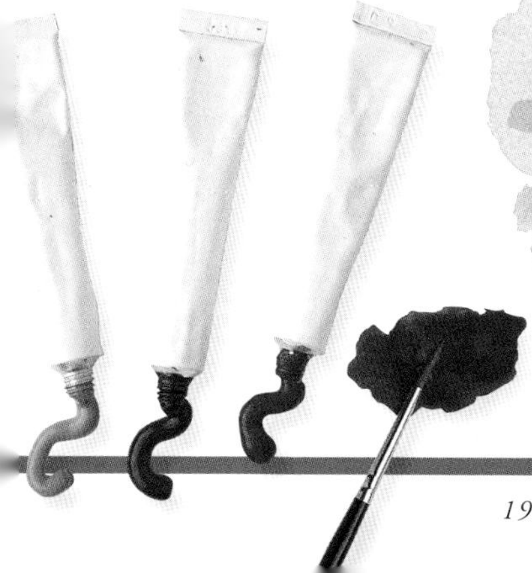

A DEPRESSÃO É HEREDITÁRIA?

Há algumas evidências de que os parentes próximos (pais, filhos, irmãos e irmãs) de um indivíduo que sofre de depressão grave têm maior possibilidade de desenvolver a doença. Nas formas mais brandas de depressão, não se detectaram ligações. Na maioria dos casos de depressão, não há relação aparente com a família. Isso indica que, genericamente falando, as instruções genéticas herdadas de nossos pais não têm uma influência direta muito forte sobre a probabilidade de se desenvolver depressão. Os genes de algumas pessoas podem torná-las mais vulneráveis à doença, mas esse não é necessariamente o caso, mesmo se outros membros da família forem afetados. Uma razão para isso é que muitos fatores estão envolvidos no desenvolvimento da depressão. Estudos de gêmeos idênticos mostram que mesmo se dois indivíduos têm constituição genética idêntica e um desenvolve depressão, isso não significa necessariamente que o outro irá sofrer da mesma doença. Ainda não se descobriu um gene para a depressão ou um padrão definido de herança genética.

À DIREITA *As crianças em geral não herdam a depressão branda.*

CARACTERÍSTICAS DA DEPRESSÃO

✧ Os pensamentos tendem a ser sombrios, negativos e importunos.

✧ Sensação de fracasso nos relacionamentos ou na vida em geral.

✧ Sentimentos de culpa.

✧ Raciocínio ilógico e conclusões generalizadas a partir de fatos isolados.

FATORES PSICOLÓGICOS E DEPRESSÃO

Se um amigo não o cumprimentou na rua, você supõe que foi porque não o viu. Mas se você estiver deprimido, poderá concluir que foi porque ele não gosta de você e ficar preocupado com os pensamentos negativos em relação ao ocorrido.

Dessa maneira, estabelece-se um círculo vicioso em que o humor cai em espiral e fica difícil se controlar. Não está muito claro o que vem primeiro: a depressão ou os pensamentos negativos. Seja como for, os pensamentos negativos fazem parte da depressão. Eles a sustentam e provavelmente dependem dela.

Esse conhecimento tem sido bem aplicado nos tratamentos "orais", conhecidos com terapia cognitiva do comportamento, os quais têm se mostrado eficazes (ver pág. 35).

ACIMA *O pensamento negativo reforça a depressão, impedindo a reação.*

É PRECISO EXPLICAR SOBRE A DOENÇA ÀS CRIANÇAS

ESTRESSE E DEPRESSÃO

O risco de desenvolver depressão é maior nas semanas ou nos meses após eventos estressantes, como a morte de um ente querido, a perda do emprego ou dificuldades financeiras. (Mas, para muitas pessoas que sofrem de depressão, pode não haver um evento óbvio ligado à maneira como se sentem.) Esses eventos importantes podem deflagrar a depressão.

Às vezes, o gatilho é o acúmulo de eventos, ou o efeito de uma situação de longo prazo, como um desentendimento conjugal. Uma perda, material ou emocional, pode ser seguida de depressão. Outros eventos comuns podem ser casamento, mudança ou aposentadoria. O isolamento, especialmente no caso de pessoas idosas que vivem sozinhas, pode aumentar a vulnerabilidade à depressão. A falta de um relacionamento confiável, ou ter sofrido algum tipo de abuso na infância, pode tornar a pessoa mais vulnerável à depressão diante de um evento estressante.

À ESQUERDA *O acúmulo do estresse diário pode levar à depressão.*

QUÍMICA DO CÉREBRO E DEPRESSÃO

O sistema de comunicação no cérebro consiste de uma complexa rede interconectada de milhões de células nervosas alongadas. Os impulsos elétricos circulam por essas células e têm de ser transportados por um intervalo minúsculo entre cada uma, num processo chamado sinapse. Os mensageiros químicos, chamados neurotransmissores, levam os sinais. Os níveis de determinados neurotransmissores químicos são reduzidos na depressão. Embora ainda não esteja bem compreendido como ou por que esses mensageiros se desequilibram, o desenvolvimento de drogas antidepressivas revolucionou o tratamento da depressão.

Existem diferentes neurotransmissores. Os principais tipos relacionados à depressão são a norepinefrina (ou noradrenalina) e a serotonina. O cérebro é um órgão muito complexo e seu funcionamento ainda não foi completamente entendido. Ainda assim, nosso nível de conhecimento nos permite aplicar diversos tratamentos por drogas para aliviar bastante os sintomas da depressão.

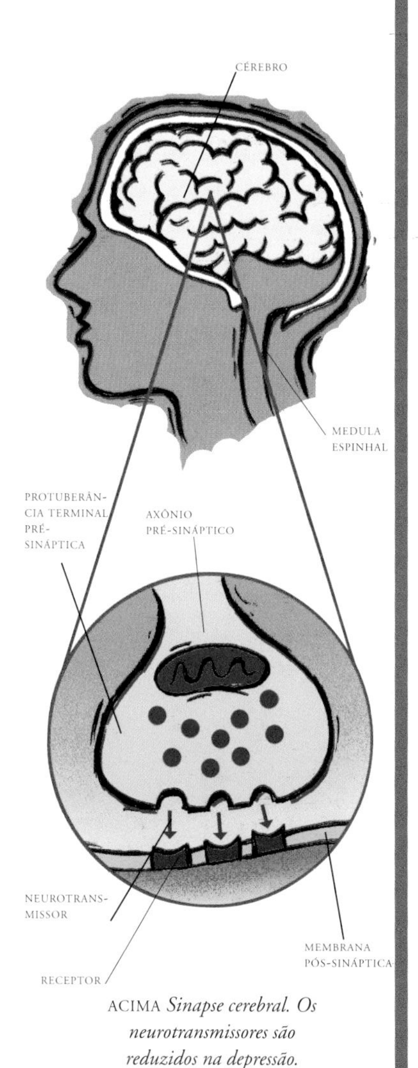

ACIMA *Sinapse cerebral. Os neurotransmissores são reduzidos na depressão.*

TRATAMENTOS CONVENCIONAIS COM DROGAS CONTRA A DEPRESSÃO

Embora muitos fatores sociais e psicológicos contribuam para a manifestação da depressão, há também mudanças bioquímicas ocorrendo no corpo, especialmente no cérebro. As drogas antidepressivas visam restaurar a normalidade dessas mudanças bioquímicas, ajudando a maioria das pessoas a superar a depressão.

OS ANTIDEPRESSIVOS FUNCIONAM?

Como qualquer droga, os antidepressivos podem produzir alguns efeitos colaterais indesejados junto com os efeitos benéficos, de modo que seu uso deve ser supervisionado por um médico. Muitas pessoas relutam em tomar remédios contra uma doença como a depressão, mas muitas dessas pessoas podem mudar de idéia depois de entenderem como essas drogas atuam, que não viciam, quanto tempo dura seu efeito e seus prováveis efeitos colaterais. Os antidepressivos devem ser usados apenas como parte de um tratamento, junto com outras terapias.

DROGAS ANTIDEPRESSIVAS

Há três grupos principais de drogas antidepressivas, cada um com diferentes funções e possíveis efeitos colaterais próprios.

- Antidepressivos tricíclicos
- Inibidores seletivos da recaptação da serotonina (ISRSs)
- Inibidores da monoamina-oxidase (IMAOs)

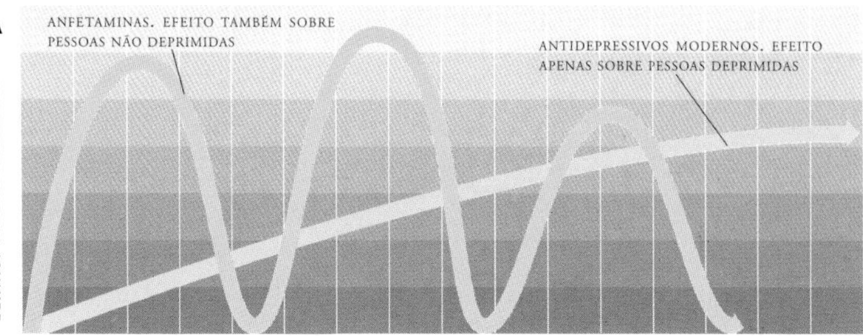

ACIMA *Os efeitos das drogas que atuam sobre o humor*

ANTIDEPRESSIVOS NÃO VICIAM

Muitas pessoas confundem-se sem saber se os antidepressivos e tranqüilizantes viciam. Tranqüilizantes como o diazepam ficaram com má reputação por causa da dependência. Algumas pessoas tornam-se tolerantes a essa droga, de modo que precisam de doses cada vez mais elevadas para conseguir o efeito desejado. Quando se pára de usar os tranqüilizantes, podem ocorrer sintomas recessivos desagradáveis em um dia ou dois, como tremores, dores e ardências, e sensação de calor ou frio.

Os verdadeiros antidepressivos não viciam e não causam esse tipo de problema. Antes da descoberta dos primeiros antidepressivos, no final dos anos 50 e 60, os estimulantes (anfetaminas ou "pílulas de energia") eram as únicas drogas disponíveis para o tratamento da depressão. As anfetaminas podem melhorar rapidamente o humor, mas seus efeitos são seguidos pela queda do humor (uma "fossa"). Elas ainda são procuradas pelos usuários de drogas ilícitas.

À DIREITA *Os antidepressivos modernos não oferecem risco de causar vício.*

ESCALANDO O PENHASCO

Uma vítima de depressão precisa de todos os seus recursos para voltar à normalidade. Os antidepressivos dão uma mãozinha.

Os antidepressivos não são procurados pelos usuários de drogas, por não serem estimulantes: só melhoram o humor das pessoas deprimidas e só depois de semanas. Assim, os antidepressivos não possuem as principais características das drogas viciantes: não dão prazer imediato e a suspensão de seu uso não causa uma reação desagradável, requerendo uma dose suplementar da droga para aliviá-la. Não obstante, convém não parar subitamente o uso dos antidepressivos. Isso poderia aumentar o risco do retorno da depressão. A prática usual é só suspender a dose depois de um mês mais ou menos.

OS ANTIDEPRESSIVOS DEMORAM PARA AGIR

A melhora começa após duas a quatro semanas o início da medicação. O inconveniente é que os efeitos colaterais indesejados são sentidos rapidamente depois do início do tratamento e antes que se note alguma melhora. Portanto, é importante não parar de tomar os antidepressivos muito cedo. Vários antidepressivos produzem efeitos colaterais peculiares com os quais se deve tomar cuidado, para que não se confundam com novas manifestações da depressão.

A grande maioria dos efeitos colaterais não são graves, mas podem desestimular o seu uso. Há muitas maneiras de contornar o problema. Normalmente, quando se começa a tomar um antidepressivo, a dose é elevada gradualmente de modo que o corpo se acostume com a droga. Os efeitos colaterais também desaparecem com o tempo, à medida que o corpo se adapta. Se os efeitos colaterais forem muito problemáticos, é possível mudar de medicamento.

É recomendado que os antidepressivos sejam tomados por ao menos seis meses depois da cura e às vezes por dois anos. Isso reduz muito as chances de a depressão voltar a ocorrer.

ACIMA *A medicação deve continuar durante algum tempo depois da cura.*

ANTIDEPRESSIVOS TRICÍCLICOS

Os antidepressivos tricíclicos são chamados assim por causa de três anéis que aparecem em sua estrutura química. Eles levam ao aumento da disponibilidade no cérebro dos mensageiros químicos (neurotransmissores) norepinefrina e serotonina. A imipramina foi o primeiro antidepressivo tricíclico a ser descoberto, nos anos 50. Desde essa época, muitos outros antidepressivos foram desenvolvidos a partir da imipramina. Todos parecem eficazes no tratamento da depressão, mas diferem quanto aos efeitos colaterais.

EFEITOS COLATERAIS DOS ANTIDEPRESSIVOS TRICÍCLICOS

Infelizmente, os antidepressivos tricíclicos não atuam apenas sobre os neurotransmissores relacionados com a depressão. Eles também afetam outros sistemas, causando efeitos indesejados, como boca seca, constipação, tremor, visão turva, retenção urinária e queda de pressão sanguínea ao se levantar, ocasionando riscos de queda. Outros possíveis efeitos colaterais são falta de sono, irregularidades no ritmo do coração ou um risco elevado de ataques epilépticos. Nem todo mundo sente esses efeitos colaterais no mesmo nível.

TIPOS DE DROGA

Há diversos tipos de antidepressivos tricíclicos. Assim como o nome científico ou "genérico", sempre há um ou mais nomes comerciais atribuídos à mesma substância – amitriptilina (Tryptizol®), imipramina (Tofranil®) e dotiepina (Prothiaden®).

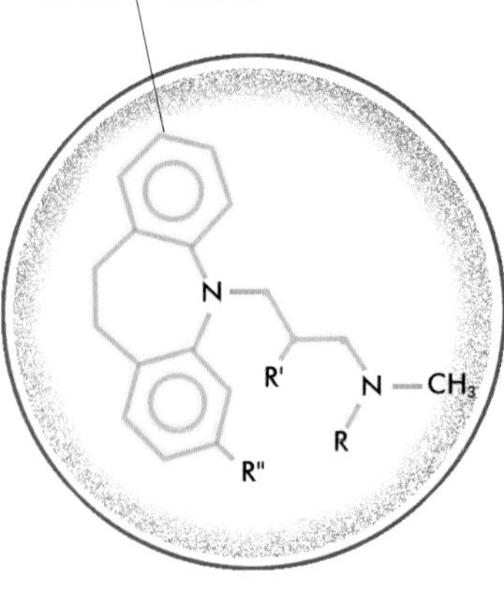

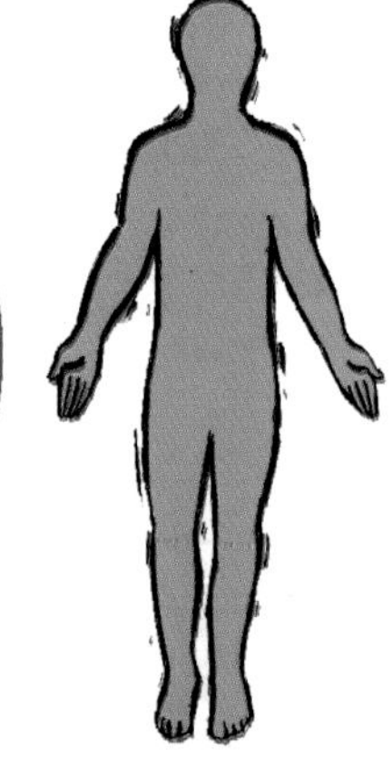

ABAIXO *As drogas tricíclicas têm uma estrutura química com três anéis.*

INIBIDORES SELETIVOS DA RECAPTAÇÃO DA SEROTONINA (ISRSs)

O grupo de antidepressivos ISRSs foi lançado recentemente e obteve muita publicidade e divulgação. As atenções se concentraram especialmente na fluoxetina (Prozac®). Os outros principais integrantes do grupo são a fluvoxamina (Faverin®), a paroxetina (Seroxat®) e a sertralina (Lustral®). Os ISRSs agem especificamente aumentando os níveis de serotonina nas sinapses das células cerebrais, reduzindo o nível de sua recaptação. Isso resulta em maior disponibilização de serotonina para a transmissão dos impulsos nervosos no cérebro. Ao contrário dos antidepressivos tricíclicos, o efeito ocorre principalmente na serotonina em vez de também sobre a norepinefrina ou outros neurotransmissores como a acetilcolina. Os ISRSs funcionam tão bem quanto os tricíclicos sobre a depressão, mas há menos informações disponíveis sobre sua segurança a longo prazo.

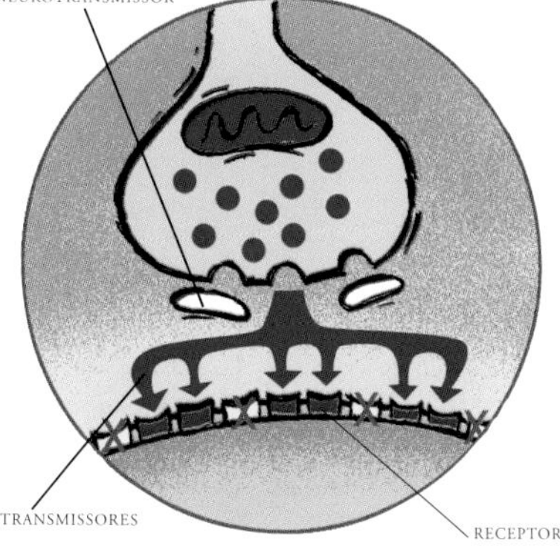

EFEITOS COLATERAIS DOS ISRs

Os ISRSs provocam menos efeitos colaterais que os tricíclicos, mas podem causar náusea com ou sem vômito, além de insônia. Para algumas pessoas, a falta de efeito sedante é uma vantagem, mas não para outras com ansiedade e falta de sono. Outros efeitos colaterais são tontura, dor de cabeça, tremores, diarréia e inquietação. Os ISRSs têm menor probabilidade que os tricíclicos de causar aumento de peso ou perturbar o ritmo do coração.

À ESQUERDA *Os ISRSs reduzem a recaptação da serotonina pelo neurotransmissor.*

INIBIDORES DA MONOAMINA-OXIDASE (IMAOs)

Os IMAOs não são tão usados quanto as outras classes de antidepressivos, porque podem causar graves efeitos colaterais e interagir com diversos alimentos de drogas. Também podem ser convenientes no tratamento da depressão com menos características, como as fobias. Eles inibem a enzima (monoamina-oxidase) responsável pela decomposição das monoaminas dentro das células. Os neurotrasmissores serotonina e norepinefrina são exemplos de monoaminas. O resultado é que são disponibilizados neurotransmissores suficientes para restabelecer o humor e superar a depressão.

Os IMAOs levam de três a cinco semanas ou às vezes mais tempo para agir. Exemplos de IMAOs: fenelzina (Nardil®), isocaboxazida (Marplan®) e tranilcipromina (Parnate®).

Mais recentemente, foram desenvolvidas outras drogas, denominadas inibidores reversíveis da monoamina-oxidase tipo A (IRMA). IRMAs como o moclobemida (Manerix®) são mais seguros de usar, pois há menos perigo de interações adversas com outras substâncias.

ABAIXO *Caminhos da monoamina no cérebro e medula espinhal.*

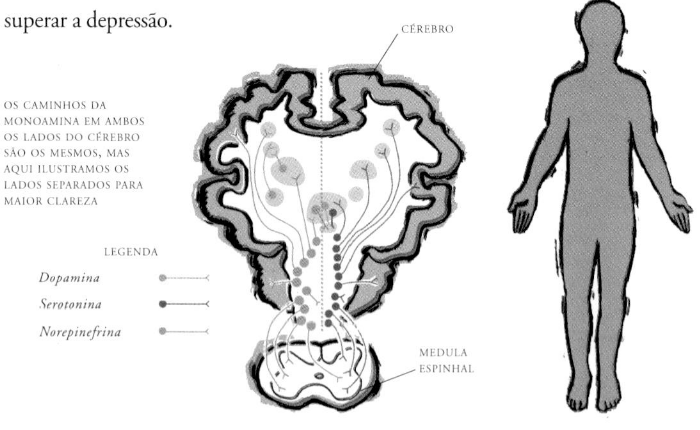

ABAIXO *Certos alimentos devem ser evitados quando se tomam IMAOs.*

EFEITOS COLATERAIS DOS IMAOs

Os IMAOs inibem as enzimas que normalmente decompõem uma série de substâncias conhecidas como monoaminas. Isso aumenta os neurotransmissores monoaminas, norepinefrina e serotonina, que se acredita serem responsáveis pelo aumento da depressão. Contudo, ao mesmo tempo, outras aminas como a tiramina e a dopamina não são decompostas adequadamente. Se alguém que tome IMAOs ingere alimentos contendo tiramina, há uma súbita e perigosa elevação da pressão sanguínea. Os alimentos que precisam ser evitados são queijos, arenque na salmoura, vagens de leguminosas, alguns vinhos e extratos de levedura. A inibição da enzima pode durar por duas semanas depois da interrupção da droga.

Os IMAOs também interagem com muitas outras drogas, incluindo-se alguns remédios contra a gripe, vendidos livremente. Isso significa que se deve tomar muito cuidado para evitar problemas. Os pacientes normalmente recebem um cartão de advertência com todas as informações necessárias. Outros efeitos são semelhantes aos causados pelos antidepressivos tricíclicos, como, por exemplo, boca seca, tontura e constipação.

TRATAMENTOS SEM DROGAS CONTRA A DEPRESSÃO

Nos métodos psicológicos para o tratamento da depressão, usa-se a discussão entre o paciente e o terapeuta para tratar o problema. Esses métodos são às vezes denominados "tratamentos orais". Os médicos geralmente oferecem aconselhamento de apoio geral, informações e explicações para os pacientes com depressão.

Os métodos psicológicos tendem a ser mais populares, uma vez que não recorrem a pílulas e os pacientes contam com o tempo e a atenção do terapeuta. Isso faz com que o paciente sinta que seu problema está sendo tratado seriamente.

O problema com o tratamento psicológico especializado é que, quando disponível na rede pública, geralmente a demanda supera a oferta e logo se formam longas listas de espera. Como são demoradas, essas formas de terapia são muito caras, o que dificulta o acesso a muitas pessoas.

À ESQUERDA *O aconselhamento pode ser de grande ajuda no restabelecimento do equilíbrio.*

SOLUÇÃO DE PROBLEMAS

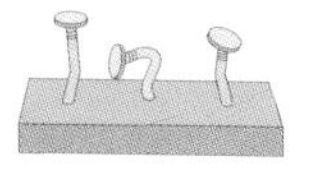

1 *Procure em sua vida as fontes de preocupação e tensão.*

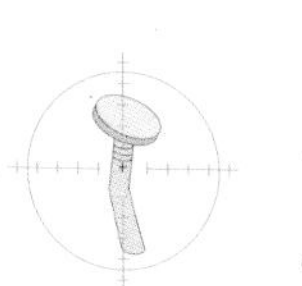

2 *Concentre-se nos setores com problemas.*

3 *Encontre métodos para enfrentar os problemas.*

4 *Adote uma estratégia de auto-ajuda.*

5 *Avalie o que conseguiu e o sucesso atingindo com as estratégias escolhidas.*

ORIENTAÇÃO PSICOLÓGICA

Sob muitos aspectos, a orientação psicológica é uma extensão e um aperfeiçoamento dos meios corriqueiros de ajuda a pessoas angustiadas. Ele acontece num diálogo face a face entre terapeuta e cliente. Há muitas formas de orientação, que variam conforme a abordagem e a ênfase. O terapeuta estabelece um relacionamento profissional que ajuda o paciente a se equilibrar. Com sua atenção, o paciente se sente compreendido e apoiado. O terapeuta pode encorajar a expressão das emoções e compartilhar os sentimentos, fazendo com que o paciente se sinta melhor. O terapeuta pode ajudar a elevar o moral pelo estabelecimento de metas com o paciente, encorajando a auto-ajuda. Os problemas são analisados e, em algumas formas de orientação, são ensinadas técnicas de solução passo a passo.

É importante que o tratamento seja conduzido por um terapeuta qualificado e de confiança (veja o capítulo "Escolher um Terapeuta Complementar"). A pessoa deprimida está vulnerável, por isso deve se preocupar com a possibilidade de se tornar excessivamente dependente do terapeuta.

PSICORETAPIA PSICODINÂMICA

Este tipo de terapia pode estender-se por anos, em vez de semanas ou meses. As sessões são de cerca de cinqüenta minutos, uma ou duas vezes por semana. Há uma ênfase maior na dinâmica do relacionamento entre terapeuta e paciente. O objetivo é permitir ao paciente reconhecer os fatores inconscientes que acredita estarem relacionados ao problema, obtendo assim conhecimento e controle dos sentimentos e ações.

Suas técnicas são derivadas da psicanálise e se baseiam em conceitos analíticos fundamentais. Por exemplo, as idéias de Freud sobre o desenvolvimento psicossexual podem ser usadas para tentar obter uma percepção dos motivos subconscientes manifestos durante o crescimento do indivíduo, que podem estar afetando sua vida atual. Nem todos aceitam os pontos de vista de Freud, portanto o valor desse método é controvertido. Como técnica principal de recordação é usada a associação mental livre, pois é considerada capaz de despertar lembranças importantes que podem ser interpretadas. A interpretação de sonhos (onde se acredita que as imagens estejam carregadas de significados, geralmente de natureza sexual) é considerada importante.

Não há evidências claras de que esta técnica acelere o processo de recuperação e, em alguns casos, a atenção a eventos passados pode encorajar a introspecção e a culpa. A opinião geral é de que a psicoterapia psicodinâmica é de valor limitado no tratamento da depressão e, de qualquer maneira, só é aplicável a casos menos graves, em que a memória e a atenção não estejam prejudicadas.

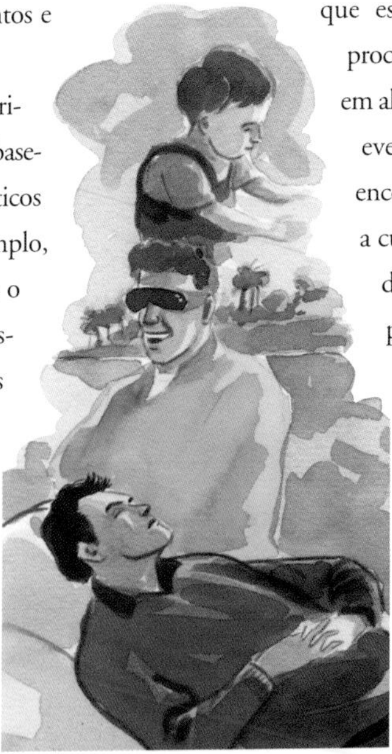

À DIREITA *A terapia psicodinâmica examina eventos da vida passada do paciente.*

TERAPIA COGNITIVA DO COMPORTAMENTO

O que é terapia cognitiva do comportamento? Esse termo aparentemente complicado compreende um método criado para mudar padrões de pensamento e comportamento que interferem no processo natural de recuperação da depressão. Em vez de pesquisar as causas da depressão, a terapia concentra-se em ensinar às pessoas como controlar seus pensamentos, emoções e comportamento perturbados, que contribuem para manter, e talvez mesmo para aprofundar, o baixo astral. O paciente age próximo a um terapeuta, geralmente um psicólogo clínico.

Por interessante que pareça, esta técnica tem-se mostrado tão eficaz quanto as drogas em formas moderadas de depressão. No entanto, as drogas tendem a ser usadas com maior freqüência, pois tomam menos tempo e são mais baratas. Esta terapia cognitiva normalmente consiste de sessões de seis a vinte horas de duração, que ocorrem em intervalos semanais. Embora não esteja estabelecido como os padrões negativos de pensamento precedem o desenvolvimento da depressão, ou se eles simplesmente se desenvolvem durante ela, foram identificados três tipos principais de pensamento desordenado na depressão. As maneiras de lidar com eles são discutidas a seguir.

ABAIXO *O paciente aprende a se concentrar em seu processo de pensamento.*

ENFRENTANDO OS PENSAMENTOS NEGATIVOS

É comum as pessoas deprimidas terem pensamentos sombrios e inoportunos, aos quais a mente fica sempre voltando. Esses pensamentos negativos parecem acentuar o humor deprimido. Na terapia cognitiva do comportamento, pede-se que o paciente mantenha um diário em que registre sentimentos, pensamentos e eventos ao longo do dia. Esses são mais tarde discutidos com o terapeuta, e o paciente aprende a enfrentar os pensamentos negativos. Por exemplo, se um paciente acredita que apenas coisas ruins lhe acontecem, observando o passado será possível descobrir experiências positivas e momentos e eventos felizes. Ou talvez o paciente acredite que não tem valor e que não é aceito pelos outros. O terapeuta irá orientar o paciente a procurar evidências que contradigam essa crença. Aumentar a consciência dessa maneira ajuda o paciente a romper o ciclo do pensamento negativo e a começar a criar sentimentos de esperança no futuro. O paciente aprende a reconhecer e a enfrentar pensamentos negativos assim que ocorrem e com o tempo isso pode ajudar a reduzir sua freqüência e romper a espiral descendente da melancolia.

ABAIXO *Manter um diário com os pensamentos ajuda.*

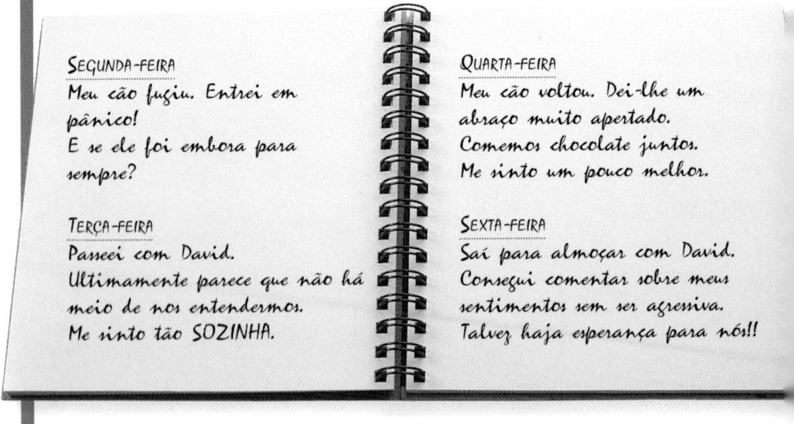

SEGUNDA-FEIRA
Meu cão fugiu. Entrei em pânico!
E se ele foi embora para sempre?

TERÇA-FEIRA
Passeei com David.
Ultimamente parece que não há meio de nos entendermos.
Me sinto tão SOZINHA.

QUARTA-FEIRA
Meu cão voltou. Dei-lhe um abraço muito apertado.
Comemos chocolate juntos.
Me sinto um pouco melhor.

SEXTA-FEIRA
Saí para almoçar com David.
Consegui comentar sobre meus sentimentos sem ser agressiva.
Talvez haja esperança para nós!!

ACIMA *Aprendendo a se aceitar, você ficará mais à vontade na companhia dos outros.*

SUPERANDO EXPECTATIVAS IRREAIS

Algumas pessoas deprimidas têm expectativas irreais sobre o mundo, de modo que, quando as coisas não saem como pensavam, perdem a confiança e tornam-se infelizes. Elas podem, por exemplo, acreditar que não podem ser felizes a menos que sejam queridas por todos e que nunca devem se irritar com as pessoas. Ao discutir essas crenças, fica claro que seria impossível ser querido por todos e que as pessoas são capazes de conquistar a felicidade sem que isso aconteça.

Uma vez reconhecida a maneira distorcida de pensar, o paciente pode concluir que fazer mais esforços para encontrar e conhecer novas pessoas, sem a pressão de acreditar que é essencial que todos gostem dele, o libertará para apreciar a amizade de novo. Os terapeutas encorajam os pacientes a identificar suas crenças irreais, a considerar como essas crenças afetam sua vida e procurar melhorar as coisas.

CORRIGINDO MANEIRAS DE PENSAR ILÓGICAS

Não é incomum as pessoas deprimidas pensarem de uma maneira ilógica, que tende a manter a depressão, como fazer uma generalização negativa a partir de um pequeno incidente. Por exemplo, a pessoa pode acreditar que, porque um amigo não telefonou, ele não quer mais sua amizade. O terapeuta ajuda o deprimido a concluir que aquele incidente isolado pode ser explicado de várias outras maneiras (como o amigo estar muito ocupado) e outras evidências podem ser mostradas para indicar que a amizade continua entre as duas pessoas.

É fácil ver o lado negro das coisas quando se está deprimido. A terapia cognitiva do comportamento visa ajudar os pacientes a se conscientizar dos padrões de pensamento e comportamento inúteis, para assumirem o controle e progredirem rumo à recuperação.

ROMPENDO A INATIVIDADE

A inatividade e a insociabilidade são traços comuns da depressão. Quando os pacientes saem menos e se afastam da vida, recebem menos estímulos e têm menos oportunidades de viver experiências positivas. Uma maneira de ajudar a pôr a bola em jogo é criar um plano de tarefas por escrito.

À ESQUERDA *A vida é uma questão de perspectiva: este copo está meio vazio ou meio cheio?*

À DIREITA *A terapeuta cognitiva do comportamento comenta os padrões de pensamento.*

ACIMA *Planeje uma série de atividades para cada dia.*

Por exemplo, o trabalho de limpar a casa pode ser visto como algo extenuante. Ao dividi-lo em componentes individuais e fazer as tarefas mais simples primeiro, ele irá parecer muito menos cansativo. É importante não estabelecer metas irreais. Completar uma tarefa ajuda a desenvolver um senso de realização e controle que gradualmente produz uma melhora de humor e previne a espiral descendente.

O planejamento de atividades é outro método positivo. Os pacientes mantêm um registro do que fazem durante cada hora e são encorajados a avaliar seu senso de realização ou prazer ao fim de cada atividade. Isso pode ser usado para ajudar a decidir quais atividades devem ser mais ou menos freqüentes em função da sensação de domínio e satisfação que produzem, ou então pelos problemas que causam. O planejamento das atividades aumenta a chance de os pacientes fazerem-nas e o aumento de atividade, por sua vez, ajuda a melhorar o humor. Às vezes, a distração é uma técnica boa: manter-se envolvido em uma atividade ocupa a mente e ajuda a bloquear os sentimentos e pensamentos indesejáveis, que podem se insinuar sempre.

TERAPIA ELETROCONVULSIVA (TEC)

A terapia eletroconvulsiva, também chamada terapia de eletrochoque, é uma terapia especializada hospitalar que atualmente só é usada em casos muito graves de depressão, quando há risco de vida ou quando todas as outras técnicas falharam. Ela tem a má reputação de ser um método bárbaro, como mostrado por exemplo no filme *Um Estranho no Ninho*. Ainda assim, pode ser um tratamento seguro e eficaz quando usada em determinadas categorias de pacientes. O princípio da TEC é que a indução de um ataque pode aliviar a depressão. Isso foi descoberto acidentalmente na década de 1930, na Itália, durante a busca de um tratamento para a esquizofrenia.

Hoje, a TEC consiste em dar ao paciente um anestésico de curta duração uma droga para relaxar os músculos, e então aplicar uma corrente elétrica por uma fração de segundo para que o cérebro induza um ataque. Os eletrodos são colocados nas têmporas e o choque elétrico faz o paciente perder a consciência durante a convulsão. A TEC é aplicada uma ou duas vezes por semana, e o tratamento pode durar talvez seis a oito sessões. Ela produz uma melhora rápida na maioria dos pacientes. Até o momento, não se sabe exatamente como a TEC funciona, apenas que tem um efeito benéfico. São raras as complicações graves do tratamento. No entanto, ele pode produzir uma obstrução de memória a curto prazo em algumas pessoas.

TEC

- Pode ser eficaz em casos bem definidos.
- Provavelmente foi usada em excesso no passado.
- Requer condições especializadas.
- Não está livre de efeitos colaterais.

ACIMA *A TEC foi descoberta no tratamento da esquizofrenia.*

À ESQUERDA
A TEC melhora os sintomas rapidamente em alguns pacientes.

TERAPIAS COMPLEMENTARES

As chamadas terapias "complementares" ou "alternativas" abrangem uma ampla variedade de métodos e técnicas, alguns mais respeitáveis que outros. Essa diversidade pode apresentar um quadro confuso e desorientador a quem queira encontrar uma terapia para seu problema de saúde.

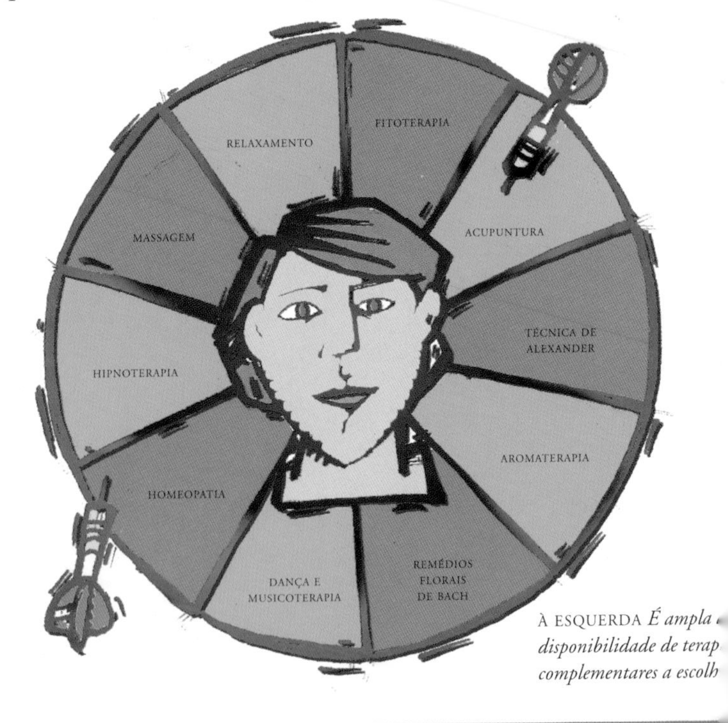

À ESQUERDA *É ampla a disponibilidade de terap complementares a escolh*

Pretendemos oferecer um guia para esse verdadeiro labirinto: comentar o que foi demonstrado cientificamente quanto à depressão e sugerir as técnicas que podem ser úteis, indicando as dúvidas e incertezas. De posse dessas informações, você pode tomar decisões conscientes sobre o caminho que irá trilhar.

As pessoas das nações ocidentais vêm descobrindo cada vez mais terapias complementares. Pesquisas em diversos países mostraram que 25-75 por cento da população experimentou terapias complementares no último ano. Entre os motivos para essa crescente popularidade incluem-se uma desilusão em relação aos métodos da medicina ortodoxa, não ter conseguido alívio com a medicina convencional para doenças de longo prazo, uma crescente vontade de tentar novos métodos, a necessidade de tempo e atenção por parte do terapeuta e um desejo de tratamentos considerados mais "naturais" e portanto livres de efeitos colaterais indesejados.

À ESQUERDA
Conheça as terapias antes de se decidir por uma delas.

EFEITOS COLATERAIS

Os produtos e métodos "naturais" não estão necessariamente livres de riscos. Esse é um engano comum.

COMO DESCOBRIR O QUE FUNCIONA?

A depressão é uma das doenças mais comuns contra a qual as pessoas procuram a medicina complementar. Então como saber por onde começar ao se deparar com uma vasta gama de escolhas? Nos livros populares sobre medicina complementar, especialmente os escritos por profissionais da área, são propostos todos os tipos de tratamento contra a depressão.

Como é possível descobrir se algum desses tratamentos funciona ou se envolve riscos inesperados? O procedimento científico é realizar uma pesquisa extensa em busca de evidências publicadas na literatura científica e isso nós temos feito na Universidade de Exeter, na Grã-Bretanha. Apesar das histórias de pessoas que se recuperaram depois de um determinado tratamento, ainda são necessárias evidências mais concretas.

Na medicina clínica, o método mais confiável para estabelecer se um tratamento funciona ou não é conhecido como experimento aleatoriamente controlado. Essa expressão estranha resume uma idéia bastante simples. Dois ou mais grupos de pessoas em condições semelhantes no início do estudo (defi-

ABAIXO *Experimentos aleatoriamente controlados testam um tratamento contra um placebo.*

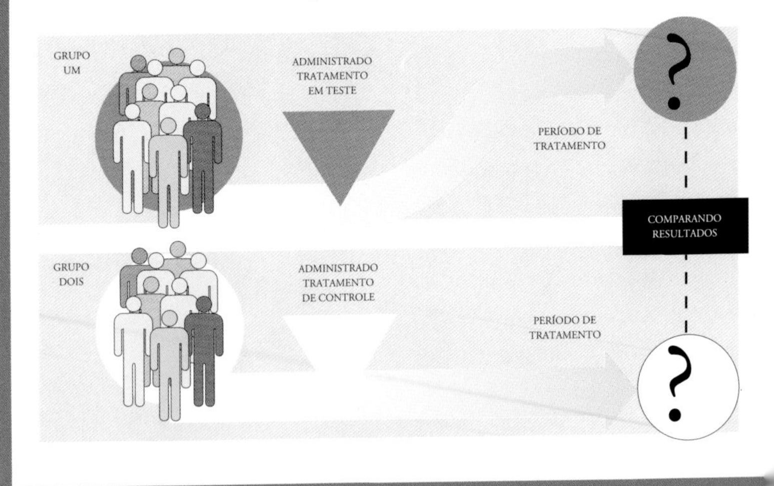

nidos aleatoriamente) são comparados depois de receber o tratamento que está sendo pesquisado (o grupo experimental), ou outra intervenção (o grupo de controle). Às vezes, o grupo experimental é comparado com um grupo que recebe um tratamento existente cujos efeitos já foram comprovados e às vezes não recebe tratamento nenhum, ou recebe um placebo ou terapia inócua. Dessa maneira, é possível verificar se o tratamento investigado funciona melhor que o praticado no grupo de controle.

TERAPIAS COMPLEMENTARES QUE MOSTRARAM EFICÁCIA POR EVIDÊNCIAS CIENTÍFICAS

Acupuntura
✧
Aromaterapia
✧
Massagem
✧
Musicoterapia
✧
Relaxamento

QUAIS TERAPIAS COMPLEMENTARES TRATAM A DEPRESSÃO?

Até o momento, a quantidade de pesquisas com terapias complementares no tratamento da depressão ainda é limitada. Isso significa que ainda não há um veredito quanto às terapias e ainda são necessárias pesquisas de boa qualidade no setor. No entanto, a boa notícia é que existe uma boa quantidade de evidências em relação à depressão moderada e branda no que se refere tanto ao remédio fitoterápico baseado no hipérico (*Hypericum perforatum*) quanto aos exercícios físicos. Embora a quantidade de evidências para determinadas terapias seja limitada, a acupuntura, a aromaterapia, a massagem, a musicoterapia e as técnicas de relaxamento podem dar algum resultado. A ansiedade é sempre um forte componente da depressão e muitas dessas terapias são calmantes.

Quando ainda não houver evidências suficientes disponíveis sobre a eficácia ou a segurança da terapia, avalie a situação da maneira mais completa possível antes de iniciar um tratamento. Procure sempre ter seu problema de saúde diagnosticado por um médico ortodoxo antes de começar um tratamento por terapia complementar.

HIPÉRICO

As plantas são vitais para nós: sem elas não teríamos oxigênio suficiente para respirar ou alimentos para comer. Desde tempos pré-históricos, as plantas nos dão remédios. Cada cultura tem sua própria tradição quanto à fitoterapia, transmitida oralmente ou por tratados sobre ervas ou outras formas de registro.

TRATADO DE CULPEPER

Nicholas Culpeper (1616-1654) publicou um livro intitulado **Tratado Geral das Ervas**, *um guia pormenorizado para o autotratamento pela fitoterapia. Contém descrições de plantas medicinais e sugere onde encontrá-las. Também dá instruções sobre o preparo dos remédios com as plantas. O livro ainda pode ser encontrado.*

Hoje, a medicina ocidental baseia-se largamente em drogas sintéticas. No entanto, não se deve esquecer que muitas drogas valiosas originaram-se de plantas e que, sem dúvida, muitos compostos derivados de plantas ainda podem ser descobertos.

Entre os ramos mais conhecidos da fitoterapia incluem-se o da Medicina Tradicional Chinesa, o da medicina indiana ayurvédica e a fitoterapia ocidental. Os três têm fundamentos teóricos ou filosóficos diferentes, mas compartilham o uso de remédios derivados de plantas. Geralmente, a filosofia subjacente é uma abordagem holística do tratamento que considera o corpo como um todo integrado.

À ESQUERDA *Os tratamentos à base de ervas existem há muito tempo.*

REMÉDIOS DE ERVAS

A alfazema (Lavandula angustifolia) *combina bem com o alecrim, a cola e a escutelária para o tratamento da depressão. Fortalece suavemente o sistema nervoso e estimula o sono profundo.*

A escutelária (Scutellaria laterifolia) *tonifica os nervos e pode ser usada para tratar todos os tipos de depressão. Combina bem com a valeriana.*

A melissa (Melissa officinalis) *é um sedativo suave que atenua o estresse. Ajuda a superar problemas digestivos causados pela depressão.*

O alecrim (Rosemarinus officinalis) *relaxa a tensão nervosa que pode provocar dor de cabeça, indigestão ou mal-estar generalizado.*

O QUE É FITOTERAPIA?

É comum os fitoterapeutas receitarem misturas contendo extratos vegetais de diversas espécies de plantas. Uma vez que cada extrato pode conter muitas substâncias químicas ativas, geralmente não se sabe que componente ou componentes químicos são responsáveis por um efeito benéfico. Os cientistas raramente compreendem exatamente como um extrato atua sobre o corpo para produzir os efeitos desejados (mas deve-se admitir que o extrato reduz os sintomas sem produzir nenhum mal ao paciente).

Na verdade, os meios pelos quais algumas drogas químicas sintéticas atuam ainda não foram bem compreendidos, mas essas drogas passam por rigorosos testes de segurança e com certeza têm de mostrar que funcionam clinicamente. Como acontece em qualquer terapia, o equilíbrio entre os efeitos desejados e as reações adversas têm de ser pesados cuidadosamente – sempre que o dano potencial supera o benefício potencial, o tratamento é considerado obsoleto.

REMÉDIOS DE ERVAS E SEGURANÇA

As plantas são bem capazes de produzir substâncias tóxicas. O fato de as plantas ocorrerem naturalmente não significa que sejam necessariamente seguras. Alguns dos venenos conhecidos mais letais à raça humana são derivados de plantas. Um exemplo é o óleo de rícino, que foi usado na ponta de um guarda-chuva para matar o desertor búlgaro, Giorgi Markov, em Londres, em 1978. Tem-se sugerido que a única diferença entre uma droga segura e um veneno é a dose. Essa afirmação se aplica igualmente aos remédios à base de plantas e às drogas sintéticas. Portanto, é essencial que sejam feitos estudos de segurança. Mesmo se uma planta tem uma longa história de uso, é possível que possa apresentar efeitos colaterais que se desenvolvam lentamente ou não sejam muito óbvios, e tenham sido ignorados no passado.

ACIMA *Giorgi Markov foi morto com um veneno de rícino*

Outra questão de segurança é o erro de identificação das espécies vegetais, ou a adulteração intencional ou acidental do remédio com materiais tóxicos, ou mesmo drogas convencionais. A substância ativa varia de acordo com a fonte da planta, as partes da planta utilizadas e o procedimento de extração. Assim, é importante que ocorra um controle de qualidade adequado para que seja obtida a dose requerida da espécie correta.

PROBLEMAS DOS REMÉDIOS DE PLANTAS

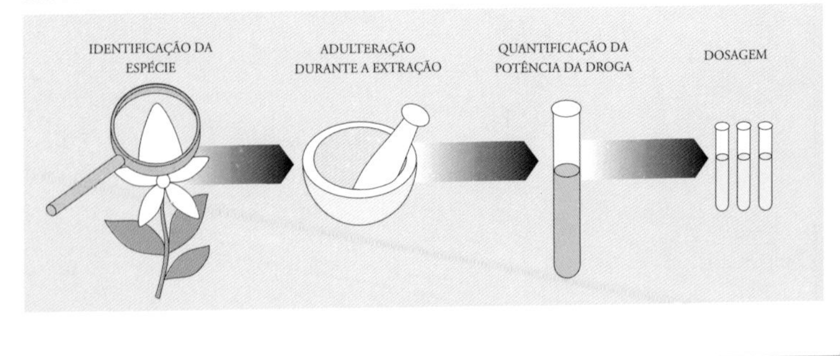

USOS TRADICIONAIS DO HIPÉRICO

ACIMA *Na Idade Média, o hipérico era usado para tratar ferimentos de batalha.*

Por suas propriedades terapêuticas, o hipérico recebeu apelidos como "cura instantânea", "bálsamo dos guerreiros feridos" e "alegria da alma". Há muito, a planta é usada como erva de cura, do que há registros já do primeiro século por Plínio e Dioscórides. Entre os problemas em que a planta era usada incluíam-se ferimentos, queimaduras e infecções do peito, além de doenças nervosas e problemas pré-menstruais e da menopausa. A larga diversidade de usos medicinais tradicionais reflete o número elevado de substâncias químicas ativas da planta.

O hipérico era parte importante do folclore da Idade Média por causa de seu poder de cura e da crença em que podia afastar os demônios. Tanto que, na Europa, a planta é consagrada a S. João Batista e denominada erva-de-são-joão, porque floresce na época do dia do santo, em junho, e desprende um sumo vermelho, que era considerado um símbolo do sangue do santo martirizado.

À DIREITA *Na Europa, o hipérico chama-se erva-de-são-joão, em honra a S. João Batista.*

CARACTERÍSTICAS BOTÂNICAS DO HIPÉRICO

A variedade de hipérico utilizada é o *Hypericum perforatum*. Quando as folhas são postas contra a luz, elas parecem ter numerosas e minúsculas perfurações, daí o nome "perforatum". Na verdade, trata-se de cachos de glândulas de óleos translúcidas. Poucos membros da família desta planta têm essas glândulas, mas um traço característico do *Hypericum perforatum* são duas saliências que correm paralelas no caule.

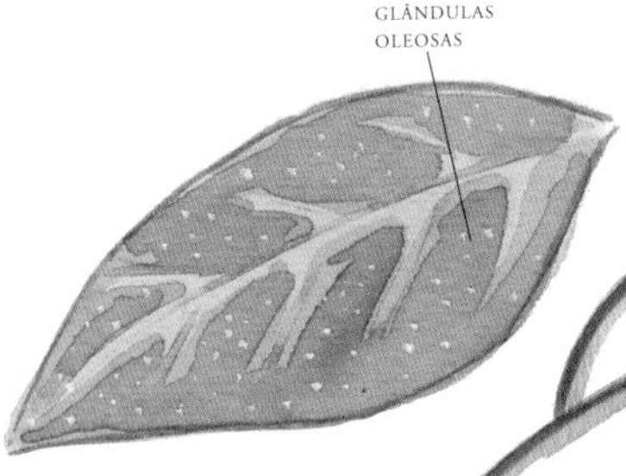

FLORES AMARELAS

GLÂNDULAS OLEOSAS

CRESCIMENTO FÁCIL

ACIMA *Tanto as folhas quanto o caule contêm glândulas produtoras de óleo.*

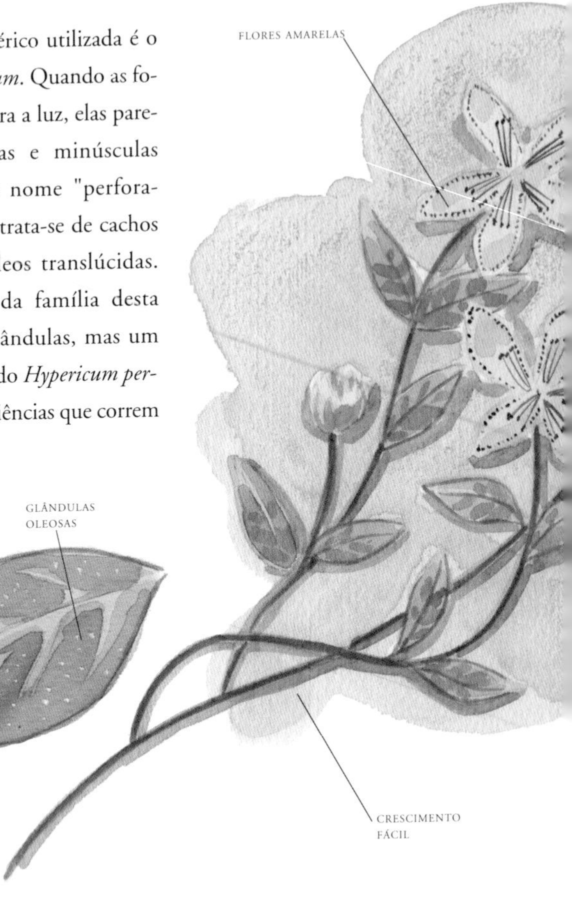

ACIMA *O caule, as folhas e as flores são usados para fazer o remédio.*

USO DO HIPÉRICO NA DEPRESSÃO

Desde 1980, os experimentos científicos europeus investigam o uso do extrato de hipérico no tratamento da depressão branda e moderada. Em 1996, os resultados de 23 dos mais rigorosos estudos científicos (experimentos aleatoriamente controlados), envolvendo 1.757 pessoas, foram resumidos no *British Medical Journal*. A conclusão geral da pesquisa foi que os extratos de hipérico são eficazes no alívio dos sintomas dos tipos brando e moderado de depressão.

ABAIXO *Os sintomas do estresse reagem bem ao hipérico.*

COMO ATUA O HIPÉRICO?

Os extratos de hipérico contêm substâncias químicas com nomes exóticos como bioflavonóides, antroquinonas, deterpenóides, hipericina e pseudo-hipericina. Ainda não está claro quais componentes são responsáveis pela melhora dos sintomas da depressão. A hipericina é considerada importante e os extratos de boa qualidade são geralmente padronizados, contendo uma quantidade específica dessa substância. É fundamental que os extratos sejam padronizados e a qualidade rigorosamente controlada, de modo que as pessoas saibam com segurança a dose que estão tomando.

O modo de ação do hipérico ainda não foi firmemente estabelecido. É possível que a planta atue na regulação do sistema de transmissão da serotonina (veja a pág. 23, para saber sobre neurotransmissores) e também aja sobre as enzimas monoamina-oxidase. Sem dúvida, é preciso que sejam feitos mais trabalhos antes de termos certeza sobre quais componentes da planta são os mais importantes e como ele atuam. É bem possível que mais de um compo-

PRODUZINDO O REMÉDIO

O hipérico contém hipericina, que é considerado o componente mais importante no tratamento da depressão.

COLHEITA

Colhe-se a planta inteira acima do solo – flores, brotos e folhas.

PROCESSAMENTO

As plantas são processadas para a extração dos preciosos componentes.

COMERCIALIZAÇÃO

Os extratos são convertidos em medicamentos: pílulas, cápsulas, óleos e líquidos.

nente e um mecanismo sejam importantes e que ocorra um determinado número de interações.

SEGURANÇA

Como em qualquer intervenção médica, é provável que, ao lado dos efeitos benéficos, existam efeitos colaterais indesejados. As drogas sintéticas antidepressivas convencionais podem produzir uma série de efeitos colaterais indesejados. O hipérico apresenta efeitos colaterais menores e geralmente mais brandos.

Os efeitos indesejados mais comumente relatados são náusea, dor de estômago, erupções na pele, coceira e cansaço. Esses problemas tendem a ser brandos e a ocorrer em apenas cerca de 2-3 por cento das pessoas. Há um risco teórico de uma reação de pele conhecida como fotossensibilidade. Ainda assim, essa reação é pouco provável de ocorrer nas doses usadas no tratamento da depressão. Esse parece ser um problema reversível que desaparece se o uso do extrato é interrompido. Assim, o hipérico não só é um antidepressivo eficaz, mas também a droga mais segura que se conhece hoje em dia. Na Alemanha ele é vendido como uma droga licenciada e é o mais popular antidepressivo de todos (incluindo o Prozac®), na Grã-Bretanha, nos EUA e no Brasil é encontrado entre os suplementos vitamínicos e outros produtos.

O hipérico é analgésico e sedativo, útil no tratamento da nevralgia e da ansiedade. Quando aplicado externamente, seus efeitos antiinflamatórios o tornam valioso contra o reumatismo e ciática. Também atua na cura de queimadura solar, ferimentos e contusões.

À DIREITA *O sol pode ser prejudicial às pessoas que tomam hipérico, pois a pele fica sensível à luz solar.*

EXERCÍCIOS FÍSICOS

No passado, a vida exigia que as pessoas se exercitassem no trabalho e em casa. Hoje, com a ampla mecanização e a disponibilidade de aparelhos que nos poupam de inúmeros trabalhos, como a máquina de lavar roupa, o cortador de grama e o aspirador de pó, entre outros, muitas pessoas são bem menos ativas do que era comum nos séculos passados.

A grande maioria dos estudos científicos recentes sobre a influência dos exercícios físicos na depressão tem demonstrado que eles estão ligados a uma melhora dos sintomas nas pessoas que sofrem de depressão branda a moderada. Muitos desses trabalhos foram realizados nos Estados Unidos. Acima de tudo, a ligação parece ser forte. Além de ajudar as pessoas a sentirem-se melhor, os exercícios têm muitos outros benefícios: reduzem os índices de doença cardíaca, pressão alta, apoplexia e obesidade. Eles também combatem o enfraquecimento dos ossos na osteoporose.

À DIREITA *Os exercícios produzem benefícios mentais e físicos contra a depressão.*

À ESQUERDA *O resultado é um senso de realização e aumento da auto-estima.*

COMO OS EXERCÍCIOS PODEM AJUDAR?

Tem-se sugerido que os exercícios podem atuar de diversas maneiras na melhora do humor durante a depressão. Há numerosas explicações psicológicas possíveis para seus benefícios. Por exemplo, os exercícios podem servir de distração para uma pessoa deprimida, afastando os pensamentos negativos, que de outro modo piorariam seu humor. Os exercícios podem dar uma sensação de realização e elevar a auto-estima e a confiança e também podem reduzir a sensação de isolamento geralmente encontrada na depressão, oferecendo oportunidades de novos relacionamentos.

No nível fisiolológico, os exercícios podem melhorar a forma física e a eficácia do coração e dos pulmões, ajudando a reduzir os sintomas de tensão e ansiedade que costumam acompanhar a depressão. Também podem estimular a produção pelo corpo de substâncias chamadas endorfinas, que aliviam a dor e melhoram o humor. Outra possibilidade é que os exercícios restaurem o equilíbrio dos neurotransmissores químicos como a serotonina e a norepinefrina, reduzindo a depressão.

Pode ser que os exercícios atuem por diversas outras vias para melhorar o bem-estar. Segundo outras pesquisas científicas, os exercícios podem ajudar a prevenir a reincidência da depressão. Quando feitos corretamente, são muito seguros e oferecem bem poucos riscos. Portanto, vale a pena considerar os exercícios físicos como parte da estratégia contra a depressão.

QUE TIPOS DE EXERCÍCIOS E QUANTO?

Muitos tipos de exercícios estão relacionados à melhora da depressão. Entre esses incluem-se atividades que variam desde caminhar, dançar, correr, andar de bicicleta, nadar e pular corda, até treinamento com pesos, caratê, esportes de equipe como futebol e vôlei. Algumas dessas atividades são denominadas exercícios "aeróbicos". Isso significa que envolvem atividade física por períodos relativamente longos, o que aumenta a eficácia do coração e dos pulmões, como por exemplo na corrida e na natação. Alguns exercícios "anaeróbicos", por outro lado, podem envolver atividade muito intensa por períodos curtos, como no levantamento de pesos ou corrida de velocidade. O lado bom é que todas as formas de exercício combatem a depressão, embora os aeró-

EXERCÍCIOS MODERADOS

Boa maneira de começar

Natação

Exercícios de alongamento

Tai Chi ou Ioga

Ciclismo

ABAIXO *O exercício aeróbico mantém a pulsação elevada por um longo período.*

bicos sejam mais capazes de produzir outros tipos de benefícios à saúde e, portanto, são normalmente preferíveis. Até o momento, nenhum tipo de exercício foi considerado superior a outro, de modo que podemos escolher o esporte que mais nos agrade.

Os efeitos benéficos têm sido observados mesmo com exercícios de baixa intensidade, em que não é necessário estar fisicamente em forma. Isso é muito encorajador, pois significa que não é necessário um intenso e cansativo programa (que também oferece uma carga de riscos adicional). Fazer exercícios três a quatro vezes por semana costuma ser adequado para obter os benefícios. Não parece haver vantagem (com relação ao humor) no aumento da freqüência além desse nível. Se as sessões durarem cerca de 30 minutos, será suficiente para produzir a melhora.

EXERCÍCIO INTENSO

Aperfeiçoamento físico
✧
Tênis
✧
Futebol
✧
Squash
✧
Aeróbica
✧
Atletismo

ABAIXO *No exercício anaeróbico, a taxa de batimentos cardíacos chega a ser muito rápida.*

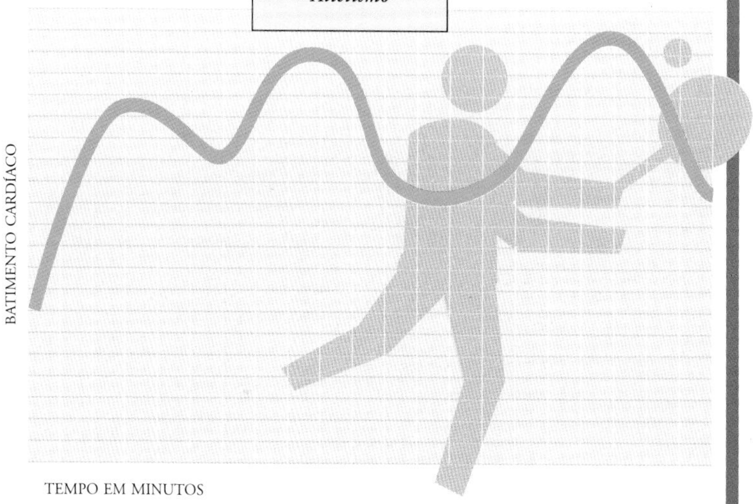

ACIMA *O exercício em grupo é estimulante.*

COMO COMEÇAR

Os exercícios oferecem uma vasta gama de benefícios à saúde, de modo que são muito compensadores. Seja qual for o tipo de exercício que escolher, lembre-se: você deve se divertir! Embora haja todo tipo de atividades solitárias, participar de uma atividade em grupo pode ajudar a estimular a motivação. Para as pessoas que preferem as atividades solitárias, entre as que não implicam um custo elevado em termos de equipamento incluem-se a caminhada, a corrida e a natação.

Se você sofre de alguma doença crônica, como artrite ou doença cardíaca, é obrigatório discutir seus planos de exercícios com seu médico, para garantir sua segurança. Convidar um amigo ou parente a acompanhá-lo também pode contribuir para a motivação e tornar a atividade mais divertida. É importante não se impor metas irreais ou tentar fazer além da conta. O melhor é começar devagar e ir aumentando aos poucos até um nível confortável e agradável.

Mesmo um pouco de exercício é melhor que nada. Escolher algo de que você gosta significa que terá maior probabilidade de continuar. Comece seu programa saindo para uma caminhada todos os dias. Depois verifique se há aulas que possa freqüentar. Algumas pessoas gostam de variedade: elas podem se divertir experimentando diversos tipos de exercícios.

ABAIXO *Planejando um roteiro de caminhada. O exercício não precisa ser caro.*

ACUPUNTURA

A acupuntura é um antigo método de cura chinês que envolve a estimulação de determinados pontos do corpo. Esses pontos são estimulados pela inserção de agulhas finas ou pela aplicação de pressão, calor ou eletricidade. O calor é produzido pela queima de uma erva no alto da agulha, o que é conhecido como moxabustão.

ABAIXO *Três importantes médicos chineses.*

Segundo o folclore, a acupuntura foi inventada quando os médicos chineses, atendendo soldados feridos, notaram que certos ferimentos por flecha curavam doenças crônicas ou antigas lesões. Pela observação da localização dos ferimentos, seguida de experiências com lascas de pedra e de ossos de peixes, a acupuntura foi gradualmente se desenvolvendo. A primeira obra de consulta, *O Clássico de Medicina Interna do Imperador Amarelo*, foi escrita entre 300 e 100 a.C. A acupuntura é apenas um componente da Medicina Tradicional Chinesa, em que também se incluem a fitoterapia, a massagem, a manipulação, técnicas de relaxamento e cuidados com a alimentação.

O OCIDENTE

A acupuntura era desconhecida do Ocidente até o século 17, quando os missionários jesuítas franceses a descreveram. Recebeu então o nome que conhecemos hoje, derivado das palavras latinas *acus* (agulha) e *punctura* (picada). Por um tempo ela se tornou moda na França, mas depois caiu na obscuridade. Voltou a despertar interesse no Ocidente na década de 1930, após a publicação de uma série de obras detalhadas sobre o assunto pelo diplomata francês Soulier de Morant. Na década de 1970, uma cobertura impressionante de televisão mostrando pacientes chineses submetendo-se a cirurgia com o uso da acupuntura para controlar a dor chamou a atenção pública para essa técnica no Ocidente e levou ao início das pesquisas científicas no setor.

À DIREITA *Aplicação de agulha no meridiano do Pericárdio para aliviar a ansiedade.*

O PERICÁRDIO 6 PROTEGE O CORAÇÃO (A DEPRESSÃO RESULTA DE UM CORAÇÃO TRISTE)

ESTE PONTO CALMANTE TAMBÉM É USADO PARA O TRATAMENTO DOS ENJÔOS MATINAL E DE VIAGEM

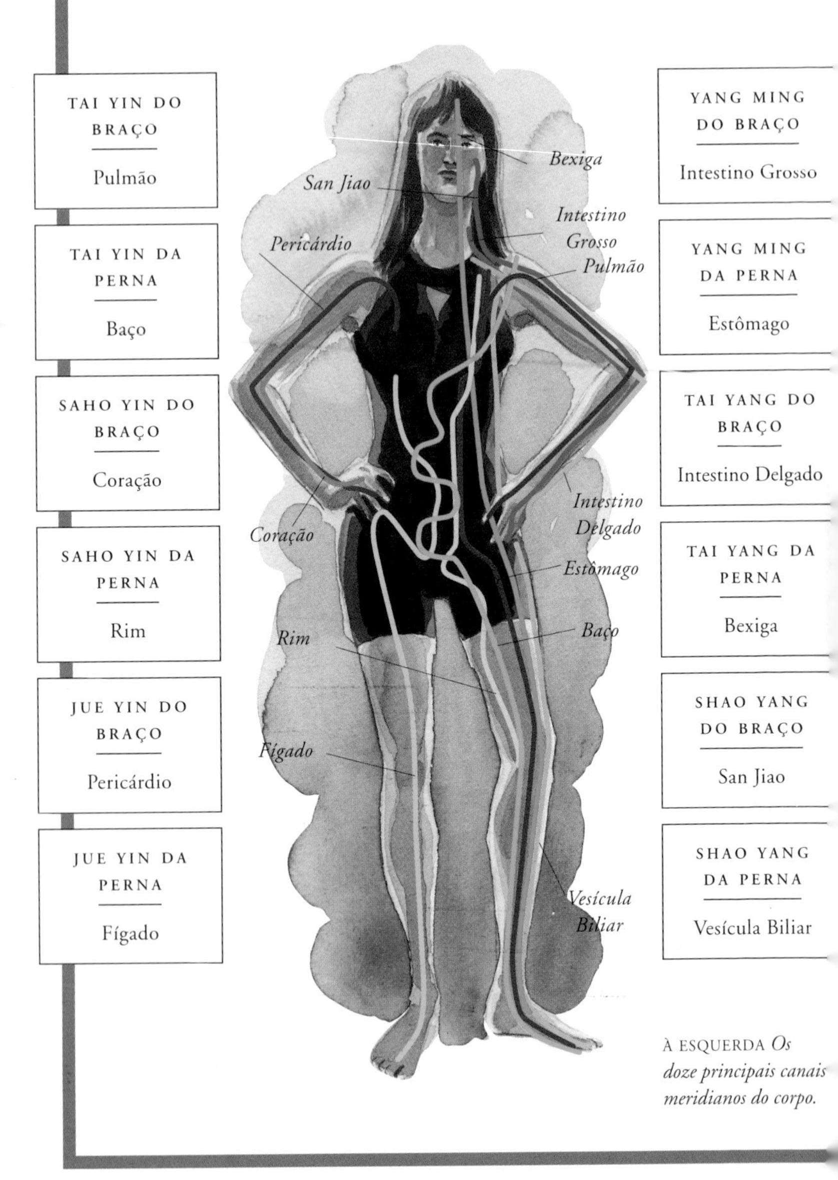

À ESQUERDA *Os doze principais canais meridianos do corpo.*

FILOSOFIA

A Medicina Tradicional Chinesa incorpora a antiga e complexa filosofia taoísta. Simplificando, acredita-se que a energia conhecida como Qi (pronuncia-se "chi") circule em tudo e que ela se polariza nas forças complementares Yin e Yang. Essas forças estão em equilíbrio dinâmico e, numa pessoa saudável, produzem um estado de harmonia (Tao). Yin é tido como passivo, escuro e feminino; Yang é o contrário: ativo, luminoso e masculino.

Considera-se que Qi flui por caminhos invisíveis no corpo, chamados meridianos. A doença é considerada conseqüência de um desequilíbrio entre Yin e Yang, de modo que o fluxo de Qi é perturbado. O objetivo da Medicina Tradicional Chinesa é restabelecer o equilíbrio entre Yin e Yang para suavizar o fluxo de Qi, permitindo que o corpo cure-se sozinho. A acupuntura é um meio de alcançar esse estado de equilíbrio energético, pelo estímulo de pontos nos meridianos para desbloquear a energia represada, acelerá-la ou acalmá-la.

São considerados doze pares principais de meridianos, que correspondem a cada um dos cinco órgãos Yin e seis Yang, além do pericárdio ao redor do coração. Acredita-se haver até 500 pontos de acupuntura ao longo dos meridianos. O conceito dos cinco elementos (madeira, fogo, terra, metal e água) também se aplica. Considera-se que esses elementos estão vinculados aos órgãos do corpo: madeira (Fígado e Vesícula Biliar), fogo (Coração e Intestino Delgado), terra (Baço e Estômago), metal (Pulmões e Intestino Grosso). Cada um dos elementos deve estar em harmonia para a boa saúde.

TRATAMENTO VIA MERIDIANOS

O tratamento dos pontos nos meridianos atua diretamente no órgão correspondente. Os meridianos também "se comunicam" entre si e os respectivos órgãos, de modo que os problemas de uma região também podem ser tratados por diversos canais. Além dos doze canais normais, há oito canais extraordinários que não estão diretamente ligados aos órgãos. Dois desses, o Du Mai e o Ren Mai, contêm pontos de acupuntura.

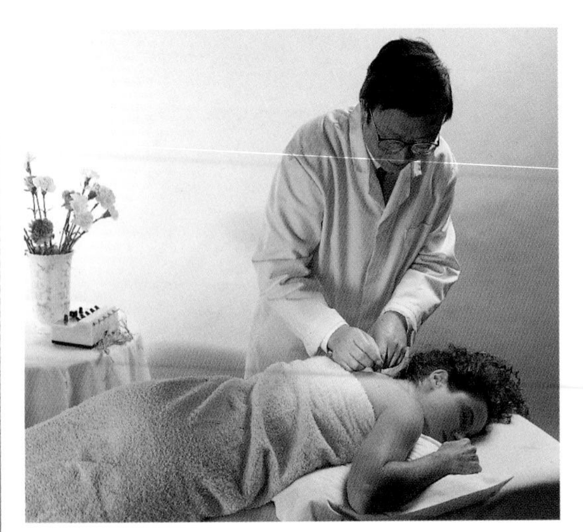

À ESQUERDA *A acupuntura pode atuar sobre o sistema nervoso e tratar a depressão.*

ATENÇÃO

Em vários países não há leis impedindo que qualquer pessoa passe por acupunturista. Assim, por medida de precaução, deve-se verificar as credenciais do profissional antes do tratamento.

ACUPUNTURA OCIDENTAL

A acupuntura também é praticada numa forma modificada, conhecida como acupuntura ocidental ou científica. Muitos dos acupunturistas científicos formaram-se pela medicina ortodoxa e depois buscaram especialização em acupuntura. Esses profissionais não adotam as teorias tradicionais chinesas sobre por que e como a acupuntura funciona. Em vez disso, acreditam que haja mecanismos biológicos para explicar sua eficácia. Embora esses mecanismos não sejam ainda conhecidos, considera-se que a acupuntura influencie o sistema nervoso.

No nível local, a acupuntura parece ajudar a difundir áreas restritas de irritabilidade (pontos de gatilho) remanescentes em músculos após lesões. Esses pontos de gatilho geralmente correspondem aos pontos de acupuntura. Além disso, a acupuntura pode estimular a liberação de mensageiros químicos, chamados neurotransmissores, que bloqueiam a dor ao nível da medula espinhal. É possível que a acupuntura também afete níveis de neurotransmissores no cérebro. Talvez seja assim que ela possa tratar a depressão.

SERÁ QUE FUNCIONA?

Na China, vários experimentos foram realizados com pacientes de depressão para comparar o uso da acupuntura, ou eletroacupuntura, com as drogas antidepressivas tricíclicas. (Na eletroacupuntura, usa-se uma pequena corrente elétrica para estimular os pontos de acupuntura.) Os trabalhos mostraram que a acupuntura, e especialmente a eletroacupuntura, resultou numa melhora semelhante à produzida pelos antidepressivos tricíclicos.

Esses resultados são promissores, mas a pesquisa ainda se encontra nos estágios iniciais e até o momento envolve um número reduzido de pacientes. A pesquisa tem sido conduzida por um único grupo de pesquisadores. Ainda não há um veredito quanto ao papel da acupuntura na cura da depressão, embora haja indícios de que possa haver sinais positivos. Uma teoria apresentada para explicar como se processa a cura é que a acupuntura poderia estimular a quantidade de mensageiros químicos serotonina e norepinefrina no cérebro. Nos casos de depressão, ocorre um desequilíbrio dessas substâncias químicas no cérebro.

O QUE DEVO FAZER PARA EXPERIMENTAR?

Em primeiro lugar, discuta o assunto com seu médico. A acupuntura não é totalmente inofensiva: podem ocorrer contusões, desmaios e infecções localizadas na pele e, muito mais raramente, complicações mais sérias como a perfuração do pulmão por agulha (pneumotórax). A aplicação de agulhas deve ser evitada por pessoas com doença hemorrágica ou que estejam tomando anticoagulantes, como a warfarina. As pessoas que usam marca-passo cardíaco não devem se submeter à eletroacupuntura. Os bons profissionais usam agulhas descartáveis, ou esterilizam suas agulhas de maneira adequada, para evitar o risco de transmissão de infecções como a hepatite ou por HIV.

OUTRAS TERAPIAS COMPLEMENTARES

Várias outras formas de tratamento complementar têm sido indicadas contra a depressão. Nas páginas seguintes, explicaremos brevemente as mais importantes dessas técnicas, apresentando o que se sabe sobre a sua segurança e eficácia no tratamento da doença.

TERAPIAS COMPLEMENTARES

- ✧ Técnica de Alexander
- ✧ Aromaterapia
- ✧ Remédios Florais de Bach
- ✧ Dança/movimento
- ✧ Homeopatia
- ✧ Hipnoterapia
- ✧ Massagem
- ✧ Musicoterapia
- ✧ Relaxamento

TÉCNICA DE ALEXANDER

A Técnica de Alexander visa corrigir más posturas e movimentos corporais errados, que são considerados responsáveis pela tensão física e mental, pelo estresse dos ossos, juntas e músculos, além de prejudicar a circulação e causar a respiração superficial. Os professores de Alexander e ajudam seus clientes a corrigir a postura e os movimentos. Eles alegam que a técnica harmoniza da postura, melhora a circulação e a respiração e cria liberdade de movimento e relaxamento.

A técnica foi desenvolvida por um ator australiano, Frederick Alexander (1869-1955). Alexander tinha dificuldades com sua voz no palco e, observando o próprio corpo no espelho enquanto ensaiava, concluiu que o problema era causado por má postura e movimentos errados. Então ele desenvolveu um sistema completo de postura e movimento baseado na obtenção de uma relação equilibrada entre as posições da cabeça, do pescoço e da coluna vertebral.

À ESQUERDA *O corpo é treinado para adotar bons hábitos de postura.*

EFICÁCIA

Os professores de Alexander alegam que a técnica pode ajudar na depressão. Esta alegação não foi comprovada por testes científicos: as evidências são relatos pessoais.

EFEITOS COLATERAIS

A técnica é suave e pouco provável de causar efeitos adversos, desde que o professor seja qualificado.

TRATAMENTO

Em geral é ministrado individualmente e ao longo de vinte sessões ou mais.

AROMATERAPIA

Na aromaterapia, os óleos essenciais extraídos de flores, frutas, sementes, folhas e raízes de plantas são usados para a cura. O aromaterapeuta escolhe os óleos essenciais de acordo com o estado físico e emocional do cliente. Os óleos podem ser misturados entre si e geralmente são usados em massagens (misturados a um óleo de base). Também podem ser inalados, usados no banho ou aplicados em compressa. Considera-se que cada óleo tem efeitos específicos, por exemplo que o óleo de alfazema é calmante e o de néroli melhora o humor.

ABAIXO *São usados óleos essenciais com diferentes efeitos terapêuticos.*

Foram realizados poucos trabalhos científicos para avaliar objetivamente os efeitos da aromaterapia e não se sabe se são os óleos essenciais ou a massagem, ou ambos, os responsáveis pelas melhoras. Muitas pessoas que experimentaram a aromaterapia acreditam que ela relaxe, reduza a ansiedade e em geral ajude a sentir-se melhor.

Os óleos essenciais são misturas poderosas de substâncias químicas vegetais. São vendidas sem restrições na Grã-Bretanha, EUA, Brasil e outros países, geralmente sem instruções de uso ou advertências de segurança. Não devem ser aplicados diretamente na pele em forma pura. Às vezes podem produzir reações na pele, especialmente nas pessoas mais sensíveis. É importante saber que alguns óleos, como o de laranja, limão e lima-da-pérsia, podem sensibilizar a pele a queimaduras pela luz solar. Como a pele absorve as substâncias químicas dos óleos, deve-se evitá-los na gravidez.

ACIMA *A massagem é um complemento agradável a outras terapias.*

ACIMA *Um banho de aromaterapia ajuda a relaxar das tensões do dia.*

EFICÁCIA

Relaxante, alivia a ansiedade e o estresse, aumentando o bem-estar.

EFEITOS COLATERAIS

Não aplicar os óleos essenciais puros na pele. Evitar certos óleos na gravidez. Alguns óleos sensibilizam a pele à luz solar. Podem produzir reações na pele.

TRATAMENTO

Uma massagem aromaterapêutica dura cerca de uma hora.

REMÉDIOS FLORAIS DE BACH

Os Remédios Florais de Bach consistem de tinturas extraídas de flores. São preparados colocando-se pétalas em água mineral ao sol por algumas horas, com que então se faz uma tintura usando conhaque como conservante. Os remédios são tomados em gotas sobre a língua, ou bebidos misturados com água. Defensores da terapia acreditam que um estado emocional negativo é a causa subjacente da doença. Eles alegam que os remédios florais animam as emoções e como resultado o corpo fica livre para curar-se.

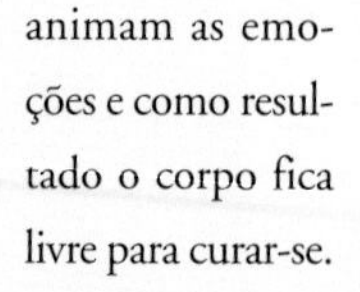

A terapia foi desenvolvida por Edward Bach, médico homeopata galês, no início do século 20. Depois de experimentar em si o orvalho coletado de flores encontradas no campo, desenvolveu um conjunto de 38 remédios. Ele recomendava determinadas tinturas de flores para alguns problemas específicos, por exemplo, pinho, olmo ou salgueiro contra o desespero.

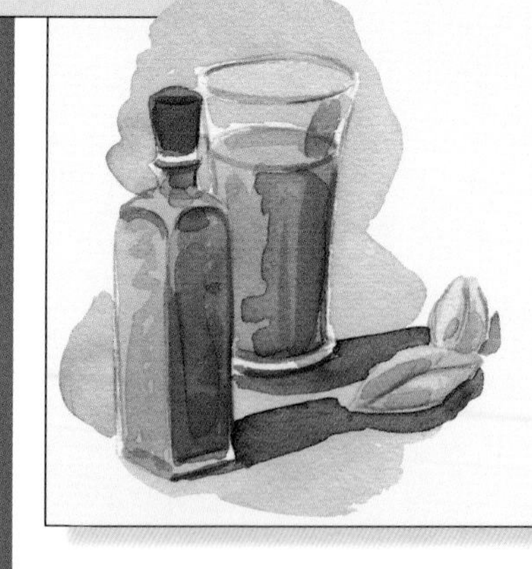

À ESQUERDA *Gotas do remédio devem ser tomadas com água.*

REMÉDIOS

Cherry plum, contra o medo e perda de controle.

Gorse, contra desesperança.

Sweet chestnut, contra desolação

EFICÁCIA

Não há evidências científicas sustentando as indicações dos remédios florais, embora haja muitos testemunhos de seus supostos efeitos benéficos. É possível que isso se deva ao efeito placebo, por exemplo, resultando da expectativa de que as tinturas possam ajudar.

EFEITOS COLATERAIS

São seguros para pessoas de todas as idades, sem efeitos colaterais conhecidos.

TRATAMENTO

Algumas gotas das essências florais são dissolvidas num copo de água e este é bebido devagar.

TERAPIA DA DANÇA/MOVIMENTO

Na terapia da dança, o movimento visa ajudar na cura física e mental, além de melhorar a integração emocional e física do indivíduo. Acredita-se que a oportunidade de movimentar-se livremente oferece a oportunidade de expressar os sentimentos e liberar as tensões; além disso, que o corpo e a mente são inseparáveis, de modo que os movimentos refletem os estados emocionais interiores.

A dança faz parte da experiência humana há milhares de anos, mas só passou a ser usada como terapia no início do século 20. Os terapeutas da dança acreditam que ela ofereça muitos efeitos benéficos, que variam da melhora da coordenação física a aspectos psicológicos, como a promoção da imagem corpórea, melhorando a autoconfiança e estimulando a auto-expressão. Eles acreditam que a dança ajude a unificar a mente, o espírito e o corpo, resultando numa sensação de integridade e bem-estar. Como atividade de grupo, ela dá oportunidade de socialização, ajudando a reduzir sentimentos de isolamento.

À DIREITA *Postura e confiança são benefícios suplementares.*

EFICÁCIA

As evidências científicas de boa qualidade sobre os benefícios da terapia da dança na depressão ainda são limitadas. Apenas alguns estudos foram realizados, com poucos pacientes e por curtos períodos de tempo. Há indícios de que a dança melhore o humor, mas para prová-los é preciso pesquisar mais.

EFEITOS COLATERAIS

Nenhum.

TRATAMENTO

A dança pode ser praticada a qualquer momento.

HOMEOPATIA

A homeopatia foi desenvolvida pelo médico alemão Samuel Hahnenman, no final do século 18. Ela se baseia no princípio de que "igual cura igual" – se uma determinada substância causa sintomas numa pessoa saudável, então pode ser usada em pequenas quantidades para curar a doença que produz os mesmos sintomas numa pessoa doente.

Para produzir o remédio, uma solução concentrada da substância é diluída muitas vezes. Os oponentes da homeopatia alegam que essas soluções tão diluídas têm pouca probabilidade de conter até mesmo uma molécula da substância original, daí não poderem ter efeito. Embora os defensores da homeopatia não possam explicar como as soluções funcionam, tem sido sugerido que de alguma forma as moléculas de água preservam uma "memória" da substância, que é eficaz. Os remédios derivam de plantas, minerais ou produtos animais.

Os homeopatas visam tratar a pessoa como um todo, em vez de apenas os sintomas, e acreditam que seus remédios estimulam o processo natural de cura do corpo.

À ESQUERDA *O princípio da homeopatia de que "igual cura igual".*

ABAIXO Aconitum napellus, *uma fonte de remédio.*

EFICÁCIA

Existem poucos trabalhos científicos sobre os efeitos da homeopatia no tratamento da depressão, embora alguns estudos indiquem que ela ajude em algumas outras doenças.

EFEITOS COLATERAIS

Informe seu médico sobre os tratamentos.

TRATAMENTO

Pílulas, pós, líquidos ou pomadas.

HIPNOTERAPIA

A hipnose produz um estado alterado de consciência em que a pessoa fica profundamente relaxada e pode ser influenciada por um conjunto de sugestões. A pessoa permanece consciente e sabe o que está sendo dito e o que acontece a seu redor. Os hipnoterapeutas afirmam que as pessoas não podem ser obrigadas a fazer o que não querem quando hipnotizadas.

A maioria das pessoas pode ser hipnotizada se quiser. Os clientes são levados a um estado hipnótico com o uso de métodos de relaxamento, linguagem figurada e técnicas de visualização. O terapeuta pode sugerir uma mudança no modo como o cliente normalmente se sente ou reage a algo. Os hipnoterapeutas crêem que podem conseguir resultados rápidos influenciando diretamente o inconsciente do cliente, enquanto este está totalmente relaxado.

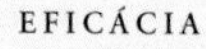

EFICÁCIA

Até agora não há evidências científicas de que a hipnose possa curar a depressão e, se há benefícios aparentes, eles provavelmente são de curto prazo.

EFEITOS COLATERAIS

Às vezes a hipnose desperta lembranças dolorosas e pode mesmo criar desagradáveis falsas lembranças.

TRATAMENTO

O cliente é levado a um estado de relaxamento total, em que permanece consciente do que está acontecendo.

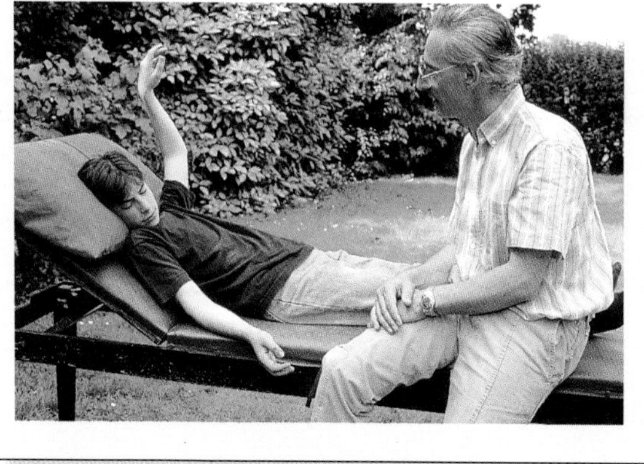

À ESQUERDA *A pessoa hipnotizada relaxa profundamente e se deixa influenciar.*

MASSAGEM TERAPÊUTICA

A massagem consiste de uma série de técnicas manipulativas de músculos e tecidos macios do corpo. O terapeuta emprega uma variedade de movimentos de amassar, esfregar, pressionar e alongar. Esses movimentos ajudam a melhorar o fluxo sanguíneo, o relaxamento muscular e em geral dão uma sensação de bem-estar. A intensidade da massagem pode variar de golpes leves e suaves a batidas vigorosas e desconfortáveis.

A MASSAGEM AO REDOR DO MUNDO

A massagem sueca ou ocidental foi desenvolvida no século 19 e visa tonificar os músculos.

✧

A massagem oriental tende a concentrar-se em pontos do corpo para liberar a vitalidade e promover a harmonia mental e física.

✧

A massagem Tai visa liberar bloqueios de energia nos "canais energéticos" (meridianos).

✧

A terapia reiki japonesa usa o toque para restaurar a energia.

✧

O tui-na é uma forma intensa de massagem profunda empregada como parte da Medicina Tradicional Chinesa.

✧

Na Índia, a massagem ayurvédica dos marmas é uma técnica muito brusca usada para estimular pontos específicos do corpo.

ABAIXO *A massagem relaxa os músculos enrijecidos pela tensão.*

MASSAGEM ANTI-ESTRESSANTE

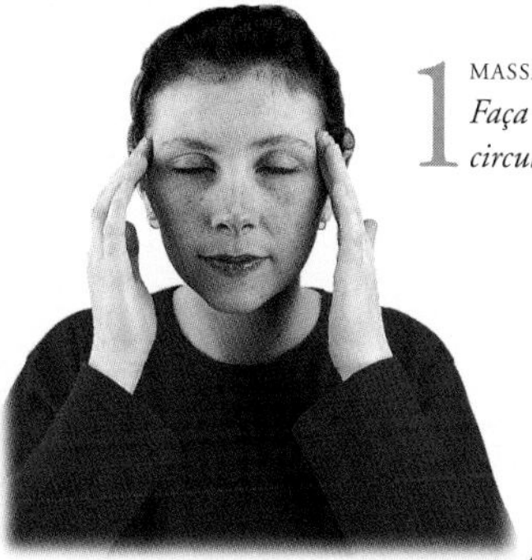

1 MASSAGEIE AS TÊMPORAS
Faça movimentos circulares, curtos e leves.

2 MASSAGEIE O PESCOÇO
Faça pequenos círculos no pescoço e ombros.

3 ALONGUE O PESCOÇO
Incline a cabeça para a frente.

EFICÁCIA

Vários estudos científicos observaram os efeitos da massagem sobre a depressão. Os resultados dos experimentos sobre a massagem sueca sugerem que ela ajude a aliviar os sintomas da depressão. Isso se deve em parte a seus efeitos relaxantes.

EFEITOS COLATERAIS

Como o tratamento quase não oferece riscos, pode ser recomendado como complemento do tratamento com antidepressivos.

TRATAMENTO

Tão constante quanto desejado, de acordo com as finanças.

MUSICOTERAPIA

A musicoterapia se baseia na crença de que todos temos uma capacidade inata de reagir à música. Esta parece ser capaz de mudar o humor e animar as emoções.

Há diversas formas de musicoterapia: pode envolver ouvir música, cantar ou tocar música individualmente ou em grupo. O musicoterapeuta avalia o paciente e então escolhe a música adequada para o problema, geralmente com uma grande colaboração do paciente. A música pode ajudar a oferecer distração de circunstâncias momentâneas e auxilia a recordação de associações agradáveis do passado.

Muitos dos benefícios alegados da musicoterapia são baseados em relatos pessoais, mas há alguns resultados interessantes de um pequeno número de pesquisas científicas realizadas. A maioria dos estudos não se refere ao tratamento da depressão. Por exemplo, bebês prematuros apresentaram maior ganho de peso em unidades de terapia intensiva com música. As pesquisas indicam que a música reduz a ansiedade nas crianças durante a cirurgia.

À DIREITA *Tocar com outros músicos é agradável e divertido.*

EFICÁCIA

Um estudo, usando musicoterapia em pacientes idosos deprimidos, relatou que houve uma maior melhora dos sintomas no grupo que recebeu a musicoterapia que no grupo de controle.

EFEITOS COLATERAIS

Nenhum.

TRATAMENTO

Pessoal.

TERAPIA DO RELAXAMENTO

Aprender uma simples técnica de relaxamento é uma boa maneira de ajudar a aliviar o estresse e a ansiedade. Praticá-la por apenas dez a vinte minutos por dia é suficiente para obter benefícios. O resultado é a respiração calma, batimento cardíaco baixo e menor tensão muscular.

Um método de relaxamento é deitar-se sobre um cobertor no chão, fechar o olhos e começar a respirar devagar como se fosse dormir. Deixe os braços estendidos ao lado do corpo, com a palma das mãos para cima e as pernas ligeiramente separadas. Contraia e então relaxe cada grupo de músculos por alguns segundos e repita, começando dos pés e subindo pelas pernas e tronco até os braços, pescoço e rosto. Dessa maneira, o corpo todo aos poucos fica relaxado. Inspire enquanto contrai os músculos e expire devagar ao relaxar. Ao mesmo tempo, imagine um lugar agradável e tranqüilo, como uma praia ensolarada. Com o tempo, será possível aprender a relaxar cada grupo de músculos sem precisar contraí-los. Com o corpo relaxado, fique de cinco a dez minutos nesse estado, respirando devagar e profundamente.

ABAIXO *As técnicas de relaxamento devem ser usadas diariamente para dar resultado.*

EFICÁCIA

O relaxamento alivia o estresse e acalma a ansiedade. É bom em conjunto com outras terapias.

EFEITOS COLATERAIS

Nenhum.

TRATAMENTO

Por visualização, respiração profunda, tensão e relaxamento dos músculos. Também pode ser feita como terapia flutuante, em que o cliente flutua num tanque de água salgada, às vezes em completa escuridão. Não indicada para claustrofóbicos.

DICAS PRÁTICAS PARA DEPRIMIDOS

ACIMA *Procure seu médico como primeiro passo do tratamento.*

É imprescindível consultar um médico convencional quando você não se sente bem e os sintomas persistem por algum tempo. Determinadas causas físicas da depressão precisam ser removidas, para as quais há tratamentos específicos que resolvem o problema e eliminam a depressão.

Por exemplo, um problema do sistema endócrino pode causar depressão como um de seus efeitos. Isso pode ocorrer em pessoas com disfunção da glândula tireóide.

Tanto a terapia cognitiva do comportamento quanto as drogas antidepressivas podem tratar eficazmente a depressão. Então devem ser seriamente encaradas como uma opção. Diversas terapias complementares podem ajudar. Quanto ao uso do hipérico, exercícios físicos e em menor grau acupuntura e massagem terapêutica, há boas evidências a favor. Outros tratamentos complementares podem ser convenientes quando usados em conjunto a um plano de tratamento convencional.

ESTILO DE VIDA

Diversos fatores interativos podem ter papel importante na depressão. Reveja seu estilo de vida: alimentação, exercícios físicos, consumo de álcool, vida social e problemas práticos e emocionais. A abordagem holística olha a pessoa como um todo, em vez de apenas se concentrar em sintomas isolados.

VISÃO DE CONJUNTO

A boa saúde pode ser considerada resultado de uma interação positiva entre mente, corpo e ambiente. Todos os aspectos emocionais, práticos e biológicos devem ser examinados e tratados. A saúde não é só a ausência de doença, mas também um estado de bem-estar físico, emocional e espiritual.

Experimente trocar seus maus hábitos de vida por outros que melhorem a saúde. Esse processo não é fácil, mas o esforço pode ser muito compensador. Pode ser possível conseguir a ajuda de amigos, parentes, profissionais de saúde ortodoxos e complementares, serviços sociais e grupos de auto-ajuda, para tratar de uma variedade de problemas, desde dificuldades em casa até problemas emocionais. Observando seu estilo de vida, você pode assumir o controle de todos os aspectos de sua vida e melhorar sua auto-estima e bem-estar.

ABAIXO *Considere todos os fatores que afetam sua vida.*

ASPECTOS DO ESTILO DE VIDA

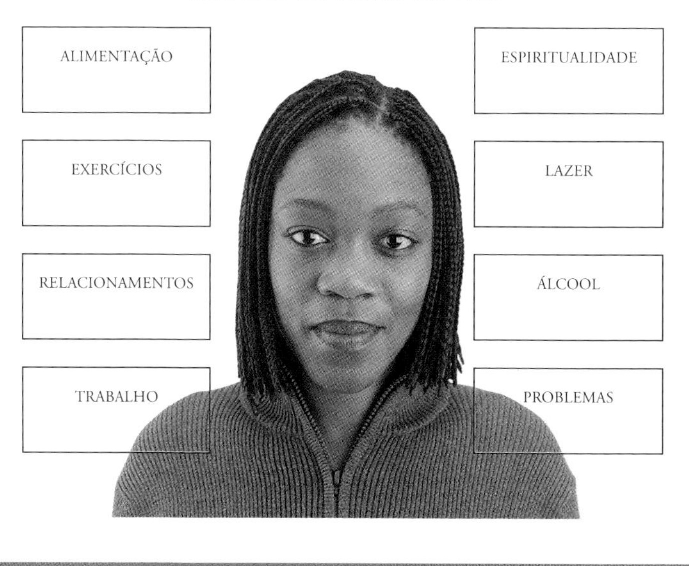

ATIVIDADES DIÁRIAS

Os exercícios estão ligados à melhora dos sintomas da depressão branda a moderada, assim como trazem outros benefícios à saúde. Quanto exercício você tem feito? Você passa a maior parte do dia sentado, tende a usar o elevador em vez da escada, raramente caminha, usa o carro ou o transporte público na maior parte do tempo e faz exercícios menos de três vezes por semana? Se for assim, é provável que sua saúde precise de mais exercícios. Quando se está deprimido, costuma ser mais difícil pensar com clareza, tomar decisões e começar a fazer alguma coisa.

Uma vantagem da atividade física é que ela não requer muita concentração mental. Depois de começar, ela distrai

ABAIXO *Manter-se ocupado durante o dia ajuda a afastar a depressão.*

Uma caminhada matinal é um bom começo para o dia.

As rotinas do trabalho doméstico podem distrair.

das preocupações e é absorvente em si mesma. É uma boa idéia começar a devagar a ter uma atividade como jardinagem, caminhar ou andar de bicicleta. Você vai ter uma sensação de realização quando terminar de cuidar do jardim ou tiver feito um belo passeio. Estabeleça um plano modesto para cada dia, aumentando aos poucos o exercício.

Qualquer forma de exercício pode ser boa para combater a depressão e não precisa ser vigoroso ou cansativo. Para obter outras compensações saudáveis, será preciso um pouco mais de esforço.

Ver os resultados da jardinagem pode ser compensador.

O exercício ativa as endorfinas e mantém a forma física.

ALIMENTAÇÃO

O corpo precisa de alimentos diariamente para ter energia e nutrientes necessários para manter saudáveis os tecidos e órgãos, e funcionar normalmente. Se você está gravemente deprimido, pode perder o apetite, e cada vez que for comer será uma batalha, que dirá comer bem. É importante comer o suficiente para manter o corpo em funcionamento, por mais que custe preparar os alimentos.

Refeições simples, feitas de pão de trigo integral, frutas e verduras frescas com iogurte são satisfatórias e não exigem muita sofisticação no preparo. Idealmente, uma dieta saudável tem pouca gordura saturada e açúcar, e muitas fibras, frutas e verduras frescas. O consumo de muita gordura saturada está associado a doenças cardíacas e circulatórias. No entanto, embora seja preciso buscar uma dieta saudável, a prioridade na depressão é continuar a comer o suficiente para manter o corpo e fornecer a energia necessária.

REFEIÇÕES RÁPIDAS

Quando você se sentir mal, escolha refeições fáceis de preparar, ainda que nutritivas.

SALADA SIMPLES
Peixe defumado, alface, tomate e fatias de pepino.

OVOS FÁCEIS
Ovos mexidos com salsa, salada verde e pão de trigo integral.

ÁLCOOL

O álcool age com um depressivo no sistema nervoso; a euforia inicial logo desaparece e há a tendência a beber mais para voltar a se animar. O excesso de álcool pode causar ansiedade e depressão, além de estimular a agressão. Beber em excesso está associado a um grupo de outros problemas de saúde. O álcool também pode causar problemas se ingerido juntamente com drogas antidepressivas.

Como saber se você está bebendo demais? Se sua resposta for "sim" a duas ou mais das seguintes perguntas, então é provável que tenha problemas com a bebida.

- *Você alguma vez já pensou em parar de beber?*
- *As pessoas já o criticaram por seus hábitos com a bebida?*
- *Você já se sentiu culpado por beber?*
- *Você já tomou uma bebida antes de mais nada pela manhã para afastar a ressaca?*

ABAIXO *Evite as tentações nebulosas do álcool: seus problemas vão continuar.*

LIMITES ALCOÓLICOS

✧

As mulheres não devem beber mais que 14 unidades de álcool por semana.

✧

Os homens não devem beber mais que 21 unidades de álcool por semana.

✧

Uma unidade consiste de cerca de uma garrafa de cerveja comum, ou um copo de vinho ou uma dose de destilado. Quando estiver deprimido, será melhor reduzir ainda mais esses limites.

DICAS PRÁTICAS PARA A FAMÍLIA E OS AMIGOS

A experiência de estar deprimido é assustadora e leva ao isolamento. É difícil entender como é se você nunca passou por ela. Às vezes, as pessoas deprimidas querem falar sobre seus sentimentos com alguém em quem confiam.

OUVIR AJUDA

Pode ser difícil para quem ouve, mas ajuda a pessoa deprimida sentir que alguém a ouve e se preocupa com ela. Além disso, a pessoa que ouve entende melhor as causas da depressão. Cada pessoa tem uma experiência diferente da outra, mas nem todos querem falar sobre si mesmo. Isso deve ser respeitado. Os amigos e parentes devem entender quando a pessoa não quer conversar sobre o problema. É melhor ouvir o que a pessoa tem a dizer do que falar ou dar conselhos.

Ser crítico não ajuda, assim como é inútil fazer comentários do tipo "tente se controlar". As pessoas que estão deprimidas não escolheram estar assim e não estão inventando sua doença. Se a pessoa deprimida falar sobre suicidar-se, é importante levá-la a sério e buscar ajuda profissional.

A pessoa que dá apoio e simpatia pode se cansar e é necessário que cuide da própria vida e dos próprios interesses, encontrando tempo para descansar e relaxar. Há grupos de apoio que oferecem oportunidade para discutir sentimentos e dificuldades de pessoas nas mesmas situações.

AJUDA PROFISSIONAL

Estimule a pessoa deprimida a procurar um médico em primeiro lugar.

Pesquise os melhores terapeutas complementares que puder (consulte as associações de classe e publicações especializadas), ou peça sugestões a seu médico.

Procure um grupo de apoio local em busca de ajuda e conselhos.

Se o paciente falar em suicídio, procure imediatamente ajuda profissional

À ESQUERDA *A pessoa deprimida precisa dos amigos mais que nunca.*

ABAIXO *Ofereça ajuda fazendo tarefas – é um apoio prático.*

OFEREÇA APOIO PRÁTICO

Durante a depressão, a energia e a capacidade de se concentrar tendem a diminuir. O paciente pode achar difícil executar tarefas cotidianas. Ofereça ajuda para fazer essas tarefas: pergunte como pode ser mais útil. Coisas como ajudar nas compras, cuidar dos filhos ou preparar uma refeição podem ser maneiras muito produtivas de ajudar.

Pode ser difícil apoiar a pessoa deprimida, a qual geralmente terá dificuldade de pedir ajuda. Enquanto a pessoa se restabelece, é importante deixá-la recomeçar a fazer as coisas por si mesma, para recuperar a autoconfiança e a independência. Você pode ajudar o paciente a estabelecer metas a alcançar, de acordo com a gravidade da depressão. Essas metas devem ser viáveis de acordo com a condição do paciente, ou então poderão acabar reforçando a sensação de fracasso. Deve-se lembrar que mesmo uma tarefa simples, como fazer um café, pode ser uma realização para uma pessoa perdida nas brumas da depressão.

OFEREÇA APOIO EMOCIONAL

A existência de uma relação de apoio confiável é benéfica para a pessoa que sofre de depressão. Quando deprimida, a pessoa não vê esperança no futuro, assim é importante assegurar que a depressão é apenas uma situação temporária, que com o tempo ela irá se recuperar e as coisas vão melhorar.

Pode ser difícil viver com alguém com depressão, uma vez que é comum a vontade de se isolar e ficar inativo. O paciente não se relaciona com ninguém normalmente e é fácil os outros sentirem-se rejeitados. A depressão é uma doença em que o isolamento é uma característica e não ocorre para ferir deliberadamente as pessoas. Quem estiver ajudando precisa ter paciência e compreensão para lidar com esse aspecto. Uma atitude positiva e gentil pode ajudar a acelerar a cura.

Pode ser difícil para o paciente ter consciência de sua melhora, então é bom apontar para ele os aspectos positivos das mudanças rumo a seu restabelecimento. A pessoa que está ajudando pode servir como elo de ligação com o mundo exterior e reduzir o isolamento. Isso ajuda o paciente a não perder todo o contato com os outros. No entanto, a pessoa deprimida se cansa facilmente e pode achar difícil ficar com outras pessoas. O que pode ser bom para um, talvez não seja para outro, mas a compreensão, o apoio, uma alimentação equilibrada, exercícios, relaxamento e música agradável são os aspectos mais benéficos.

COMO AJUDAR

- Seja paciente.
- Esteja pronto a ouvir quando o deprimido quiser falar.
- Em vez de dar conselhos, ouça.
- Não critique.
- Dê apoio.
- Seja simpático.
- Ofereça-se para ajudar em tarefas.

À ESQUERDA *Encoraje seu amigo a olhar para a frente e ser otimista.*

ESCOLHER UM TERAPEUTA COMPLEMENTAR

É fundamental lembrar-se de consultar seu clínico geral antes de partir para uma nova terapia, mantendo-o sempre informado de seus passos. Procure ter sempre expectativas realistas e não espere uma cura imediata.

ACIMA *Não seja excessivamente otimista ao procurar um terapeuta.*

É bastante provável que as terapias complementares escolhidas ajudem a aliviar os sintomas ou tornem mais fácil viver com o problema.

ENCONTRANDO O TERAPEUTA CERTO PARA VOCÊ

O terapeuta deve não só ser competente, mas também alguém com quem você se sinta à vontade o suficiente para ter um bom relacionamento de trabalho, uma vez que o verá regularmente. É importante verificar as cre-

À ESQUERDA *Você deve sentir-se à vontade com o terapeuta, para que o tratamento tenha êxito.*

denciais do profissional. Nem sempre isso pode ser feito diretamente, uma vez que existem inúmeros tipos de certificados. Verifique se o terapeuta é filiado a alguma associação de classe. (Mas lembre-se de que a filiação não é garantia de habilidade e capacidade. Pesquise sobre a associação a que ele é filiado. Por exemplo, como ela avalia a competência e o treinamento obtido por seus filiados? Tem um código de ética, procedimentos para queixas e uma norma de disciplina.)

TESTANDO O PROFISSIONAL

Antes de começar uma terapia, faça algumas perguntas iniciais ao terapeuta. Os terapeutas sérios não se opõem a discutir essas questões no primeiro contato. Caso contrário, isso deve servir de alerta para você.

Quais são suas qualificações?

✧

Há quanto tempo exerce a profissão?

✧

A que associação de classe é filiado?

✧

Até que ponto acha que o tratamento será benéfico contra a depressão?

✧

Em que consiste exatamente a terapia?

✧

Que efeitos colaterais podem ocorrer?

✧

Quantas sessões acha que serão necessárias?

✧

Quanto irá custar o tratamento?

MEIOS ORTODOXOS DE AUXÍLIO

Se apresentar sintomas que possam ser de depressão, é imprescindível que a primeira pessoa a ser procurada seja o seu médico, para que ele faça um exame completo. Conforme o exposto, existem tratamentos ortodoxos comprovados contra a depressão, incluindo uma variedade de drogas e tratamentos psicológicos. Se necessário, um clínico geral pode indicar a consulta a um especialista, e também está em condições de dar conselhos sobre outros meios, tanto ortodoxos quanto voluntários. No entanto, o conhecimento sobre as terapias complementares, e as opiniões a respeito, variam entre os médicos.

Existem grupos de apoio e autoajuda em várias cidades que oferecem auxílio a pessoas com problemas de depressão, ou para a família ou as pessoas que tomam conta. Seu médico sempre poderá oferecer informações nesse sentido, mas também é possível pesquisar em obras e periódicos especializados em bibliotecas e associações de classe.

LIVROS ÚTEIS

Butler, B. e Hope, A.
Manage Your Mind. The Metal Health Fitness Guide.
(Oxford University Press, RU, 1955.)

Copeland, M. A.
Living Without Depression and Manic Depression.
(New Harbinger Publications, EUA, 1955.)

Madders, J.
Stress and Relaxation.
(Macdonald Optima, RU, 1981.)

McCormick, E. W.
Coping, Healing and Rebuilding After Nervous Breakdown.
(Optima, RU, 1993.)

Payne, R. A.
Relaxation Techniques.
(Churchill Livingstone, RU, 1995.)

Rosenthal, N. E.
Winter Blues.
(Guildford Press, RU, 1994.)

Rowe, D.
Depressão - Como Sair dessa Prisão.
(Editora Mercuryo.)

Smith, G. e Nairne, K.
Dealing With Depression.
(The Women's Press, RU, 1995.)

Rowlands, B.
The Which? Guide to Complementary Medicine.
(Which? Books, RU, 1997.)

Sanders, P. e Myers, S.
What Do You Know About Depression and Mental Health?
(Gloucester Press, RU, 1996.)
Dirigido ao público juvenil.

OUTROS LIVROS DA SÉRIE

DOR NAS COSTAS

ESTRESSE

SONO

Agradecimento pelo uso das imagens:

A–Z Botanical Collection: p.72B

Bridgeman Art Library: pp:8, 9BD, 49A

Corbis-Bettmann/UPI: pp: 9CD, 9B

Image Bank: pp: 18E, 22, 26, 27, 37A, 51B, 53A, 58, 59

Garden Picture Libarary: p. 47

Science Photo Library: pp: 73B

Stock Market: pp: 64, 69B